BENAVENTE, FIN DE SIGLO

BIBLIOTECA DEL PENSAMIENTO ACTUAL

DIRIGIDA POR RAFAEL CALVO SERER

Volúmenes publicados:

1. ROMANO GUARDINI: *El mesianismo en el mito, la revelación y la política.*
   Prólogo de ALVARO D'ORS.
   Con una nota preliminar de RAFAEL CALVO SERER.
2. TEODORO HAECKER: *La joroba de Kierkegaard.*
   Con una nota preliminar de RAMÓN ROQUER y una nota biográfica sobre Haecker, por RICARDO SEEWALD.
3. VICENTE PALACIOS ATARD: *Derrota, agotamiento, decadencia en la España del siglo XVII.*
4. RAFAEL CALVO SERER: *España, sin problema.*
   Premio nacional de Literatura 1949.
5. FEDERICO SUÁREZ: *La crisis política del antiguo régimen en España (1800-1840).*
6. ETIENNE GILSON: *El realismo metódico.* (Segunda edición.)
   Estudio preliminar de LEOPOLDO PALACIOS.
7. JORGE VIGÓN: *El espíritu militar español. Réplica a Alfredo de Vigny.*
   Premio nacional de Literatura 1950.
8. JOSÉ MARÍA GARCÍA ESCUDERO: *De Cánovas a la República.*
9. JUAN JOSÉ LÓPEZ IBOR: *El español y su complejo de inferioridad.* (Segunda edición.)
10. LEOPOLDO PALACIOS: *El mito de la nueva cristiandad.* (Segunda edición.)
11. ROMÁN PERPIÑÁ: *De estructura económica y economía hispana.*
12. JOSÉ MARÍA VALVERDE: *Estudios sobre la palabra poética.*
13. CARL SCHMITT: *Interpretación europea de Donoso Cortés.*
    Prólogo de ANGEL LÓPEZ-AMO.
14. DUQUE DE MAURA: *La crisis de Europa.*
15. RAFAEL CALVO SERER: *Teoría de la Restauración.*

MANUALES DE LA BIBLIOTECA DEL PENSAMIENTO ACTUAL

1. *La Pedagogía contemporánea,* por EMILE PLANCHARD, Profesor de la Universidad de Coimbra.
   Traducción y adaptación por VÍCTOR GARCÍA HOZ, Catedrático de Pedagogía de la Universidad de Madrid.
2. *Geografía General, Física y Humana,* por ANDRÉ ALLIX, Rector de la Universidad de Lyon.
   Traducción y adaptación por JOSÉ MANUEL CASAS TORRES, Catedrático de Geografía de la Universidad de Zaragoza.

JOSE VILA SELMA

BENAVENTE, FIN DE SIGLO

Ediciones Rialp, S. A.
Madrid
1952

ESTADES. Artes Gráficas - Evaristo San Miguel, 8 - Teléfono 31 40 79 - Madrid

El 12 de junio de 1950 hablé por primera vez con don Jacinto Benavente, Premio Nóbel, en su piso de la calle de Atocha. Entonces, ya tenía elaborado, en sus líneas fundamentales, este estudio. Tras la conversación, nada de él fué reformado.

Sin embargo, mi propósito se transformó. Era un intento vacilante y fué un convencimiento decidido. Creí en la necesidad de hacer el análisis que en las páginas siguientes sintetizo: acaso las obras benaventinas me dijeran cuanto quería averiguar hablando con Benavente, y respondieran por sí mismas a tantas preguntas sin respuestas. Por otro lado, nada me impedía juzgar, en justicia, una obra amplia en extensión y en influencia.

Una generación, acaso la menos afortunada espiritualmente de entre las últimas, ha sido cera obediente y reblandecida al contacto aterciopelado del famoso diálogo benaventino.

Ese modo brillante y suave de decir de Jacinto Benavente esconde, sin embargo, un imperativo avasallador, de tal índole, que sólo puede ser descubierto ahora, cuando un nuevo modo de pensar anima vigorosamente a un gran núcleo de la intelectualidad española, en estos momentos en los que es necesario, en todos los órdenes de la vida y el pensamiento enlazados, plantearse el problema de la acción constructiva, tranquila, sincera, porque una mutación singular, un acontecimiento ejemplar, nada más que a trece años de distancia, así lo exige.

Una dilatada obra literaria, operante durante decenios en la conciencia social, no se entronca, ni se injerta, ni se enraiza en la nueva situación, con un simple título: Aves y pájaros, *y menos si fué precedido por otro,* Santa Rusia.

Antes de aceptar su injerto, su entronque o su casi imposible enraizamiento en la nueva situación —situación: actitud operativa ante nuevas posibilidades—, los que directamente somos responsables de ésta, tenemos que convencernos de su contenido y de su validez.

El 12 de junio de 1950 quise anunciar mi propósito, a grandesr rasgos, a don Jacinto Benavente. He aquí que ahora está cumplido.

Santiago de Compostela, septiembre 1951.

INTRODUCCION

1. Lector y crítico

Muchas veces me he sentido retraído antes de lanzarme a la labor de criticar la obra de Jacinto Benavente. Unas, porque me sentía un simple lector impresionado por sus obras; otras, porque creí que era demasiado mi espíritu crítico, por atrevido. Porque atrevido resulta juzgar a un escritor contemporáneo; y ayuda a este temor la ligereza, las equivocaciones que otros cometieron en circunstancias semejantes.

De otro lado, el ejemplo mismo de la crítica literaria española, tan incipiente y por esto tan cargada todavía de lastre positivista, tan sólo ocupada por obras de reconocido valor universal, pero históricas siempre, si es que aceptamos que tales obras puedan de algún modo o bajo algún aspecto pertenecer sólo al pasado, hacía aún más atrevido mi propósito.

Dejé de contemplar la labor de los que ocupan

los primeros puestos de las tareas críticas de la historia literaria para mirar otro aspecto de la Literatura, el de la creación contemporánea. Y aquí es donde tuve que conjugar mi impresión de lector y los elementos del juicio crítico objetivo para decidirme a tratar la obra de Jacinto Benavente, responsable solidariamente del estado actual de nuestras letras.

Y me decidí a juzgar a este escritor contemporáneo, convencido de que sería el lector el que se equivocara, pero que el crítico de una obra literaria actual no podía equivocarse, al menos tan fácilmente, por el contenido singular del que se nutre la creación literaria universal, después del Romanticismo —tendríamos que decir creación literaria europea, si no existiesen los nombres de Rubén y E. A. Poe.

2. La tendencia de la Literatura

Después que Baudelaire —y casi con las mismas palabras Poe— habló de un sueño por el que «l'homme communique avec le rêve ténébreux dont il est environné»; desde que Rimbaud, alcanzando a pasar los límites del «environné» baudelariano, podía decir: «La vraie vie est absente», «je est un autre»; desde que Peer Gynt gritaba: «¡Cuántas envolturas! ¿No aparecerá nunca el corazón? ¡No hay nada! En el mismísimo centro no hay sino envolturas, cada vez más pequeñas y pequeñas...»; desde que los personajes pirandellianos se sublevan contra su autor, desde que los mundos poéticos contrarios de *Spes*, de Darío, se hallan en lucha y atraen por igual, con halo virginal que con la apostura principesca en el *Reino interior* rubendariniano, la inquietud y la agonía de la existencia se transforman en tema único y universal de la creación literaria. La innovación de *El nido ajeno* era sencillamente necesaria, y hasta venía urgida, determinada.

La primera obra benaventiana no es sino expresión singular del tema universal. En la inadvertencia del sentimiento de Manuel hay la irracionalidad de la vida, que será una de las declaraciones pirandellianas, al mismo tiempo que entronca con Shaw, porque al manifestarse el enamoramiento de aquel personaje por María, la acción teatral se subordina â lo sentimental. La aportación benaventiana es ese deseo de no poder dudar «ni de nosotros mismos».

Para Benavente la personalidad también manifiesta su crisis. En esa duda sobre nuestros sentimientos se pone de relieve el choque con los límites humanos: lo posible y lo probable, que podemos encontrar en el poema *¡Carne! ¡Celeste carne de mujer! Arcilla...* de Rubén Darío. Es lo que podríamos llamar la angustia de los límites: «cette chose interdite», diría Paul Claudel; «rechute abominable», escribirá Gide en 1916, al mismo tiempo que escribía *Numquid et tu...?* He aquí la coincidencia temática de Benavente con los temas universales.

Pero ¿es esto todo? En todas las obras literarias contemporáneas a las benaventinas encontramos no sólo el planteamiento de los límites morales últimos humanos, el bien y el mal, sino que ofrecen un deseo continuado, progresivo, por entregar una visión limpia de ese dramatismo, de esa oposición angustiosa de los límites.

Esta necesidad de expresar la fuerza trágica del choque entre el bien y el mal hace que la creación literaria contemporánea, contenga una declaración de principios de orden práctico, protestados satánicamente —Gide—, cristianamente —Claudel, Rubén Darío—. Esta protestación de principios prácticos, que suponen sendas teorías de conocimiento poético, facilita la objetividad de la crítica, ya que, en última instancia, se manejan conceptos extraliterarios, filosóficos, teológicos me atrevería a decir con Madaule y con Claude Jean Nesmy, y aun con Henri Brémond.

¿Y Benavente?

3. La forma quasi-simbolista de Jacinto Benavente

Aquella afirmación que declara única y monótona la temática benaventina: resolver la crisis de la persona dentro de los límites de la propia conciencia, «no dudar ni de nosotros mismos», puede parecer gratuita; sin embargo, su demostración justifica este libro.

Partiendo de esta premisa y si intentamos deducir de ella la posible posición ideológica de Jacinto Benavente, sólo dos posibilidades aparecen a la vista: o un individualismo egocéntrico o un personalismo en el que la persona es fin en sí misma y colabora en la obra divina de su salvación; este es el dilema, y no creo que pueda encontrarse otro. Si fuera posible otro cuadro de hipotéticas soluciones, tanto peor para la originalidad de Jacinto Benavente, porque esas posibilidades pondrían su obra fuera del ambiente actual y contemporáneo de la creación literaria.

Originalidad conseguida siguiendo las corrientes universales de la creación poética. Así lo requiere la situación en el tiempo en el que Jacinto Benavente, lanza a la escena su obra dramática. Es el momento en que el Simbolismo está construyendo sus últimos baluartes, Gide y Claudel. La originalidad de Benavente hubiera consistido en representar al simbolismo español, en darle acento español. ¿Pudo hacerlo?

Esta es otra cuestión. El Simbolismo no llega a España directamente a través de los Pirineos; nos llega en alas del Modernismo. Y el movimiento poético de Darío, aunque simbolista, no lo es con absoluta puridad. Es Rubén quien pone el tono ancestral al movimiento francés, purificándole, acercándole a la tradición poética; por eso su significacón es clave.

A Benavente, por imperativo de su momento, le correspondía completar la labor que Rubén no pudo cumplir, realizando la asimilación del Simbolismo francés de Rimbaud, incorporándole a nuestra historia espiritual, creando en definitiva, el Simbolismo castellano.

Prescindiendo del afrancesamiento o la originalidad del movimiento Modernista, lo que no puede dudarse es de su afinidad con el Simbolismo, una afinidad temática, conceptual, verbal, personalista, que sitúa el problema más allá de una simple derivación filial en el tiempo. Benavente recoge esa herencia, pero es más simbolista que modernista; a lo largo del desarrollo de su pensamiento poético se olvida de la «hispanización» a que Rubén Darío somete el Simbolismo.

En resumen: Benavente se acerca más a Gide que a Claudel. Sin saberlo, se hace simbolista, pero de las dos formas postreras del Simbolismo escoge la menos castellana, la menos simbolista.

Y todo esto ¿por qué?

El Simbolismo, en esencia, no es sino el problema de la vida personal, en la angustiosa coyuntura de sus posibilidades sobrenaturales. Es el movimiento que muestra más palpablemente la participación del libre albedrío en el destino singular humano: la tradicional fórmula «ser o no ser», cambia sus términos «aceptar o no aceptar», y hasta se agudiza en su contenido problemático, puesto que no es solamente «ser», sino al mismo tiempo «poder ser o poder no ser» y «querer ser o no querer no ser»; y cuando el dilema lo vive una mente y un alma inficionada de protestantismo, como la de Gide, alcanza un nuevo planteamiento: «ser y parecer».

El Simbolismo no se comprende sin la acuciante realidad de todo lo que es posible. El Simbolismo y la misma vida de los poetas simbolistas es la lucha titánica con lo posible, limitado a la realidad nutrida de teología y entonces toma acento cristiano; o ampliado a lo posible irreal, a los «mundos imaginarios», al ámbito inhumano de la imaginación, entonces su acento sólo puede ser satánico.

Si quisiéramos definir la forma poética postmodernista y simbolista gidiana de Benavente, diríamos que es aquella actitud creadora que:

1. Limita y circunscribe todo lo posible a la intimidad;

2. que aisla la intimidad de lo objetivo al no reconocer para aquélla otra norma que el dato de la conciencia;

3. Que con ello renuncia a toda la tradición castellana, al negar a la conciencia práctica todo fin que le trascienda;

4. que este individualismo ***a posteriori*** le lleva a burlar y eludir el planteamiento de lo social desde un punto de vista orgánico, como existe en el mismo Gide con todas sus aberraciones.

Por todas estas razones, no se puede defender ni el modernismo de Benavente ni su posible afinidad con el Simbolismo, este movimiento tan universal, universalizado por su temática. ¿En qué términos será conveniente hablar de la misión poética de Benavente?

PARTE PRIMERA

FRACASO Y DERROTA DEL PERSONAJE

LIMITACIONES DEL TEATRO DE BENAVENTE

1 ELEMENTOS: TIEMPO, TEMA, PERSONAJES

Una posición positivista ante cualquier obra literaria, haría de su estudio un museo que manifestara denumerados, descritos y clasificados y muertos, todos y cada uno de los elementos que la componen. Nadie cree que una obra literaria esté escrita para ofrecer materia petrificada a los pseudocríticos. Más bien es toda ella, y en sus partes, algo impalpable, sutil, que se justifica plenamente en sus fines.

El teatro sólo se distingue de los otros géneros en una técnica específica, porque el propósito final es común y único: comunicar un contenido. El continente es siempre accesorio, en tanto no se admira su riqueza o su precioso valor tras los cristales de una vitrina. El cristal de Bohemia se enriquece aún más con una bebida añosa.

La importancia cultural y literaria de Benavente nace, brota de su contenido. Técnicamente, desde el punto exclusivamente teatral, Benavente se califica como modernista. El Modernismo innova menos que el Simbolismo.

Lo nuevo de Benavente, a fin de cuentas escritor europeo, son sus puntos de contacto con el movimiento y pensamiento poéticos francés. Acaso, sin que él lo sepa, es más extranjero que español. Lo nuevo del teatro de Benavente es algo que por singular se aparta de todo cauce tradicional. En ningún momento fué tan individualista nuestro teatro. Los personajes del teatro de Jacinto Benavente no son conducidos por fuerzas trascendentes, desde otro punto de vista: el personaje no es un elemento que en la vida de ficción sufre un destino complejo, tras el que se esconde un fin que ansía, un término esperado. El personaje benaventino encuentra el fin de su corta vida imaginada en sí mismo y para sí mismo. No vive ni de ilusiones ni de esperanzas, ni hay en él otra norma que aquella por la que alcanza una seguridad en sí mismo, que no tiene otra finalidad que pueda afectar a los otros; sólo para sí mismo tiene interés la vida que anima al personaje.

De los otros elementos, el tiempo no marca el ritmo apasionado de la vida. Sometido por la inteligencia creadora de Benavente, sólo transcurre para señalar el momento de madurez egoísta del personaje. El tiempo teatral benaventino no es cauce por donde discurre un caudal de posibilidades. Una sola posibilidad temporal tienen los muñecos de las farsas: hallar el testimonio de la propia conciencia como única ley. En fin, el tiempo tampoco es camino largo, amplio o estrecho, pero seguro, por donde el héroe de la ficción camine impulsado por la esperanza de un fin, en el que encuentre calor, sal, aceite con que reparar el cansancio, con que curar las heridas del camino.

Y el tema. En el teatro de nuestro Premio Nóbel no cabe la posibilidad de una gran riqueza temática. Su colorido es monótono. A Benavente una sola cosa le importa: la individualidad. Y, ciertamente, defrauda no encontrar ese heroico sometimiento de lo humano a un ideal exterior, superior al hombre; un ideal posible, que se hace humano en cuanto perfecciona al hombre en toda su dimensión.

He aquí que cuando los hombres, o los personajes de ficción perciben algo trascendente, el Bien o el Mal, pueden elegir libremente, y su dicha o su desgracia se enriquecen porque ya son dicha o desgracia sobrehumana, porque toda elección lleva consigo una unión con lo que se escoge voluntariamente, hasta la salvación o la condenación.

Pero cuando ni el amor o el dolor, ni la fuerza de una pasión o la sombra de una debilidad; cuando ni el odio o la caridad, ni la fe o la esperanza, son los módulos elegidos por el autor para cincelar la vida, porque si aparecen son en función del yo —y no el yo en función de ellos—, porque cuando aparecen en el teatro benaventino son algo subjetivado y no objetivo, el hombre o el muñeco recorre no un camino de perfección, sino un camino de retorno, hasta la intimidad de imprecisos límites, incapaz de elegir el bien o el mal y de vivir plenamente cualquier pasión.

2. ¿Qué finalidad tiene el teatro de Benavente?

Todos comprenderán que para contestar esta pregunta es necesario saber qué concepto tiene el propio Benavente de su trabajo, qué opinión se merece como autor, qué papel se reserva en la creación literaria.

En su conferencia *Psicología del autor dramático*, hay tres textos que pudiéramos definirlos: el primero como el de la participación del autor, y es éste: «El autor dramático, ya lo dije, es el contemplador desinteresado, algo así como un dios artista, para quien no hay secretos en la vida de sus personajes. Y no hay secretos, porque el autor, por simpatía, vive la vida de todos ellos, y ha de ser: enamorado con el enamorado, criminal con el criminal, sublime y rastrero, apasionado y ecuánime».

Si quisiéramos reducir a esquema el citado texto, escribiríamos:

1) *Contemplador,* lo que supone tanto como decir: buscar una visión de conjunto y desde ella cuidar los detalles que apoyen la línea esencial de la obra;

Desinteresado, supone una cierta objetivización del trabajo creador, por un lado; de otro, «desinteresado», es decir, objetivo, no vinculado, expositor de algo que no le pertenece, o bien casi indiferente al resultado de la trama escénica. Lo que está en contradicción con los dos puntos siguientes:

2) *No hay secretos en la vida de sus personajes:* el autor ve la vida desde dentro de sus personajes, a través del cristal de la intimidad.

3) *Vive la vida de todos ellos:* esta mutabilidad favorece indudablemente la maestría de la ejecución y la ayuda, pero a fin de cuentas nos afirma en nuestra convicción de que a Benavente sólo la intimidad le importa.

El segundo texto es aquel en el que Benavente valora la labor creadora, al autor. Ya sabemos de qué modo se vincula, de qué modo el autor participa y siente, consiente, compadece con la intimidad y la significación moral de sus personajes, nacidos al amparo de su tutela paterna y consentidora. Tutela que tiene sus inconvenientes, sus escollos; del modo de salvarlos brota el valor de un autor. He aquí las palabras del dramaturgo laureado: «Escollos son estos del arte dramático que los autores habilidosos saben evitar con la introducción en su obra de un personaje que sea algo así como el coro de la tragedia griega: el intérprete entre el autor y el público, el que enseña, el titirimundi, como pudiera decirse; personaje por el que habla el autor y por cuya mediación puede advertir al público, a cada paso, de que él para nada es responsable de lo que dicen y hacen los personajes de la obra».

Todo el mundo juzga a Benavente como algo más que un «autor habilidoso». Todo el mundo le juzga como un gran dramaturgo. Pero la grandeza de su significación literaria no supone la infalibilidad; he aquí que Benavente se contradice.

Antes dijo que «por simpatía» el autor se solidariza con los personajes. Ahora dice que «él para nada es responsable de lo que dicen y hacen los personajes de la obra».

Toda la preocupación de Jacinto Benavente comienza y termina en el personaje. Ningún otro elemento le preocupa, ni es materia capaz de conformar la «psicología del autor». Por otro lado, un autor es algo más que psicología. Un autor es sólo psique, cuando reduce su participación a un consentimiento. Así se explica todo.

El tercer texto es aquel que circunscribe y expone la materia conveniente para la obra literaria. Benavente afirma que la poesía de sus obras brota de una atención constante, «siempre atento al ritmo interior del pensamiento, y del corazón». Cierto que el pensamiento tiene un ritmo; pausa y aceleración es la ley de todo movimiento, de todo cambio moral. La creación literaria no puede entenderse desentendida de esta idea de movimiento o «padecimiento» moral.

Benavente dice del ritmo de sus obras: «Nuestro pensamiento, como nuestro corazón, tiene un ritmo: unas veces acelerado, violento; otras, pausado, majestuoso. Percibir ese ritmo interior es todo el secreto de ese arte. Ritmo de sangre febril, unas veces; otras, ritmo de lágrimas, como el desgranarse de una sarta de perlas en una copa de cristal; el ritmo indeciso de la incertidumbre; el ritmo desmayado de las melancolías; el ritmo tortuoso de los engaños, y el ritmo amplio y limpio de la verdad; el ritmo de alas de los anhelos amorosos y el ritmo de besos en las brasas de unos labios ardientes de deseos; acordes perfectos unas veces, estridencias y disonancias otras; balbuceos o torpezas; el ritmo de las palabras en armoniosa cadencia o en agria rotura...»

Nótese la identificación total que establece entre

«pensamiento» y «corazón», raíz común de todos los «ritmos sentimentales». Esa enumeración acaso pudiera ser esquema para una clasificación de la temática. Pero no es necesario. Son diferencias accidentales; en el fondo hay una sola temática: el sentimiento, que sólo es diverso circunstancialmente.

Además, al identificar «pensamiento» y «corazón» justifica la base sentimental del «ritmo de pensamiento: unas veces acelerado, violento; otras, pausado, majestuoso...», etc.

Y en el fondo, tras este primer plano, este telón del sentimiento, late el personaje en espera de que la farsa de su vida comience, anhelante de conocer el horizonte y la amplitud de la misión que le ha de dar razón de ser.

¿Qué misión es posible para estas criaturas, sólo creadas para manifestar formas sentimentales? Corto y limitado será el horizonte, exigua su misión. Cuando encarnados, abran sus labios para hablar, comenzarán a vivir. Serán criaturas que vivan porque hablan, pues su vida brota de su intimidad.

La intimidad será el único hálito y el cuño de su existencia. Los personajes benaventinos son circuncidados en su intimidad.

Sin embargo, todo lo creado recibe de fuera, de algo objetivo, su razón de existir.

Benavente ¿innovó tanto que pudo transformar la razón de vivir de lo creado, hasta encontrar razones íntimas que justifican la vida, distintas y opuestas a las tradicionales? ¿Por qué esa concepción de la intimidad como motor y lubricante únicos?

3. La limitación psicológica y espiritual

El cotejo entre las criaturas de Benavente y otros personajes de ficción de nuestra historia literaria, mostraría una mengua que impide concebir a cualquier personaje nacido de la pluma de Jacinto Benavente, como persona de carne y hueso, como persona real.

Y no es favorable a una forma literaria su incapacidad de ser real. Mala nota cuando lo irreal, menguado, no es posible realmente. Esto implica una limitación a la vez psicológica y espiritual.

Además de una inexactitud básica, porque no puede tomarse lo particular como general. El sentimiento existe y en la vida ordinaria desempeña un papel muy importante muchas veces, pero no todo es sentimiento.

Esta fundamentación del pensamiento de Jacinto Benavente, que transforma verdades singulares en universales, se ofrece en la obra *La infanzona.* Y si hemos de creer las propias palabras de Benavente, las que encabezan la obra citada para justificarla, Benavente se declara seguidor de Jung y defiende la voluntad de dominio como una aporía de la vida del hombre. Para Benavente «ser o no ser», es equivalente a «dominar o ser dominado». La diferencia es indudable, porque mientras la «cuestión» hamletiana tiene raíces metafísicas, la tesis netszcheana de Jung tiene un simple arraigo psicológico. Ahora comprendemos por qué Benavente en la conjuntura de exponer su concepto de «creador» sólo habló de psicología.

También es ésta la razón por la que Benavente es un autor más europeo que español. El rebusca entre la flaqueza humana la grandeza del hombre, y su intento le liga por igual a Gide, Malraux, Jules Romains, por citar en concreto, y a todo el pensamiento europeo postkantiano, que funda en las posibilidades psicológicas toda la capacidad de plena realización humana.

Este concepto de vida reposa sobre una visión espontánea de la vida en sustitución de la tradicional visión de ésta como un camino hacia el bien y la perfección, y Benavente, peor formado intelectualmente que los autores extranjeros, se esfuerza por adoptar en su ideología el acervo de viejas palabras, que ya no significan lo mismo.

El ideal de Benavente, a semejanza distante de Nietszche, está más allá del Bien y del Mal.

Por este camino, al ser no lo queda sino su intimidad, regida y ordenada por un eticismo psicológico que, lejos de derivar hacia la facilidad, se fundamenta en el sufrimiento y el quebranto de las aspiraciones de la intimidad, por lo que ésta tiene que luchar manifestando todas *sus* posibilidades; en sí y para sí encuentra la norma maestra: llegar a ser educadora de sí misma. Nada de vida futura, de recompensa exterior.

Todos estos elementos producen una atmósfera de grandeza en torno al hombre, de cuya influencia es difícil hurtarse, porque Benavente exalta la plena manifestación del hombre en un esfuerzo y un riesgo que sólo son esfuerzo y riesgo en el hilo bien trenzado del diálogo. He aquí por qué Benavente ha podido imponerse en una sociedad católica y en ella ha encontrado acogida. En sus obras hay un acento de novedad que la conciencia cristiana no podía juzgar por no estar preparada.

El ideal humano que las obras de Benavente propugnan, es tan posible, aunque éticamente limitado, que, deslumbrados por él y por su grandeza, podría considerarse cristiano sin caridad. De otro lado, sus obras, al dar luz sobre las posibilidades y tendencias humanas, confunden su eticismo con una versión poética de la moral cristiana.

Más no. Más que cristiano, por su justificación egoísta, el teatro de Benavente manifiesta un aspecto tan sólo del drama que corroe internamente al cristianismo de nuestro tiempo.

Benavente se afirma demasiado en la vida y posibilidades naturales, para poder plenamente aceptar después la moral cristiana. Y esto es peligroso.

4. La única ética, la del sentimiento

«El sentimiento en sí es una imperfección que sólo irrumpe en el hombre bajo capa de pureza e imperfección; es la unificación de las potencias del hombre que sólo se manifiesta en la tierra como un eco débil e impreciso y, como tal, inferior a los actos completos y determinados del intelecto y la voluntad. La última razón del sentimiento es una perfección, mas su manifestación humana es una insuficiencia, un reflejo, débil e inadecuado del acto humano más perfecto», se lee en un artículo de R. Paniker sobre *F. H. Jacobi y la filosofía del sentimiento* (*Las Ciencias*, Madrid, año XIII, núm. 1). Y parece que estas palabras están escritas pensando en Benavente. Se opina con Paniker al tener en cuenta el propio testimonio de los personajes benaventinos, cuando exponen la temática.

Nené, protagonista de *El hombrecito* (1903), resume en sí misma la disyuntiva ética del personaje benaventino:

> «¡Locura! Me confío a su lealtad, a su corazón; si me quiere como yo le quiero, su cariño será la verdad de mi vida. Vence el cariño... pues a quererse para siempre, para toda la vida. Vence el deber..., si el deber es que no debemos querernos, pues aceptaré el sacrificio y viviré resignada para su recuerdo. Viviré para rezar, para hacer bien,

para algo tan grande como este cariño..., para lo único que puede vivir una mujer como yo, que no es capaz de vender su corazón ni su conciencia para olvidar que pudo ser feliz en la vida, y por cobarde o por fuerte..., ¿qué sé yo, quién lo sabe?, renunció para siempre a su felicidad».

El sentimiento se nos ofrece como una fuerza moral que cumple con todas las aspiraciones de la persona —«para lo único que puede vivir una mujer como yo»—. Al mismo tiempo, el sentimiento es sostén de un modo de vida —*Los cachorros* (1918):

M. Adelaida: «... los pequeños, los cachorros, han estado a quererse, y ya no es más guerra»,

la fuerza moral que conduce y guía la vida en medio de todas sus circunstancias.

Pero además de ser fundamento de la vida, es luz indicadora, sin cuya guía y orientación la vida sería sombra angustiosa. Sólo la verdad del sentimiento da seguridad y firmeza a la debilidad natural del hombre. *El pan comido en la mano* (1934):

Adelina: «... Pues como niños debemos mirarnos, para ir siempre cogidos de la mano, como niños perdidos por el camino oscuro que es la vida, en donde es tan fácil perderse sin la luz de una verdad que sea en nuestro corazón como una clara estrella...»

Por otro lado, la ética del sentimiento es una ética de tribulación y congoja, muy lejos del ansia del que aspira a una felicidad que en la vida temporal le es negada. *Ni al amor ni al mar* (1934):

> VÍCTOR: «¿Qué es el amor si no puede más que todo, si no es todo en la vida, y como la vida misma, lo más sublime y lo más bajo: espíritu y bestialidad? Cuando nos creemos más seguros de haber dominado por nuestro amor un alma, por los sentidos se nos escapa aquel alma olvidada de todo; cuando creemos haber dominado por los sentidos, es el alma la que se escapa en loco vuelo de imaginaciones. Nunca es nuestro todo el amor; nunca puede serlo...»

Es el sentimiento el que impone el modo de ser, lo que une o separa a los hombres entre sí. Sería inútil encontrar otro vínculo de solidaridad en el pensamiento de Benavente: sólo el sentimiento. *La culpa es tuya* (1942):

> CASILDA: «Sí, estoy segura. Pero es posible que al cariño le falte algo, cuando le ha faltado tener algo que perdonar. Por eso quiero oírte decir «la culpa es tuya», para que tengas tú algo que perdonarme».

La prueba más evidente de que la doctrina del sentimiento contiene y supone una ética, se muestra en las palabras de Eugenio, protagonista de *La enlutada* (1942):

«... Ese es nuestro deber: querernos mucho, ser buenos, ser dichosos. Esa será la mayor alegría para nuestros padres. Hasta para el más desdichado; para el que si alguna claridad puede haber en la negrura de su vida, será saber que su hija es dichosa, que su hija no es desgraciada por su culpa. Ya ves como nuestra felicidad es nuestro deber. Por nosotros y por nuestros padres. Esperanza, ¿me considera usted digno de llamarme hijo suyo?»

Tras la visión ética, la posibilidad universal del sentimiento, sin perder su esencia individualista. Y su universalidad se explica así: son los sentimientos los que llevan consigo la perfección; sólo la perfección merece ser comunicada; los sentimientos propios merecen nuestra devoción más rendida; éstos y no las acciones son los que conforman nuestra personalidad:

«... Y no os preocupéis tanto de defender vuestras ideas como de infundir vuestros sentimientos. Es posible que la luz de la inteligencia no dé calor al corazón; pero el calor del corazón es siempre luz en la inteligencia. Los sabios no son siempre héroes ni santos. Los héroes y los santos son siempre sabios de la mejor sabiduría: la del corazón. El corazón es el único que sabe mover las voluntades» *(La última carta)* (1941).

Son innumerables los textos que pudiéramos aducir para demostrar la unidad monócroma de la temática benaventina: el sentimiento.

Pero los siete aducidos son suficientes para ver cómo desde la formulación expresa en *El hombrecito,* los otros textos señalan los jalones por los que el sentimiento, tema benaventino, alcanza su desarrollo: fundamento de un orden, *Los cachorros;* guía y norma, *El pan comido en la mano;* su influencia ética, *Ni al amor ni al mar, La culpa es tuya* y *La enlutada;* su validez universal, *La última carta.*

EL PERSONAJE POR DENTRO

No podíamos menos que comenzar estudiando al personaje, la individualidad, porque a ella rinden pleitesía y servicio todos los otros elementos teatrales.

No se trata de clasificar a los personajes en tres grandes grupos, sino de dar a conocer los tres puntos de vista, las tres facetas de la intimidad que Benavente nos ofrece.

Primera: lo secreto íntimo velado por las circunstancias, que se manifiesta inesperadamente —*Nido ajeno* (1894). *Segunda:* la apariencia de nuestra intimidad, nuestra intimidad vista por los demás —*La mariposa que voló sobre el mar...* (1926). *Tercera:* los grandes impulsos vitales, especie de fuerzas vivas de un destino contra el que no se puede luchar —*La noche del sábado* (1903).

La diferencia entre la segunda y la tercera consiste en que aquélla *es contra los otros,* y ésta es *a pesar de sí mismo.*

1. Lo secreto

Cuando se trata de matizar conceptos que convienen a circunstancias humanas, es bueno huir de definiciones. De todos modos, en el caso de Benavente, si no definiciones, por lo menos será necesaria una aclaración de conceptos.

Por secreto entenderemos aquella tendencia de la intimidad que se manifiesta súbitamente y modifica de modo imprevisto nuestra relación con las circunstancias que forman el ambiente en el que nos desenvolvemos.

Es tan súbita y potente esa manifestación, que no llama a la voluntad para que acepte o rechace la tendencia nacida en lo más íntimo del yo. Ella misma ofrece en sí la valoración que a la voluntad corresponde. Es, una vez descubierta, la única posibilidad que el personaje puede elegir. En cierto modo el secreto íntimo, al aparecer absorbiendo toda otra posibilidad, se identifica con la voluntad del personaje al impedir que decida como le corresponde. Y se impone de tal modo, que ciega también al entendimiento, incapacitándole para conocer otra vía. También en este sentido la tendencia de la intimidad se unifica con el entendimiento.

Sólo el sentimiento súbito que el personaje descubre en el instante preciso para que el argumento tenga significación y coherencia, priva.

En su individualidad el personaje, ya que no en su personalidad, pues voluntad y entendimiento le son mutilados, sufre un cambio ante sí mismo. Después de esta manifestación de lo secreto, algo íntimo que ignoraba le pertenece de tal modo, que no puede renunciar a ello, porque perdería su fisonomía propia.

Esto fué ni más ni menos lo que constituyó el primer éxito teatral de Jacinto Benavente, *El nido ajeno*. Manuel vuelve al hogar de su hermano José Luis. Este no ha llenado de ilusión la vida de su mujer María. Esta y Manuel se compenetran. Por evitar desavenencias con el carácter de José Luis, celoso, abandona Manuel el hogar ajeno, y entonces comprende que le debe abandonar por otra razón que hasta ahora no conocía: su enamoramiento por María.

> MANUEL: «¡Para siempre, no!... Hasta que seamos viejos y no quepan desconfianzas ni re-

celos entre nosotros... Cuando no podamos dudar... ni de nosotros mismos... Entonces volveré a buscar un rincón donde morir en el nido ajeno».

La conclusión que saca Benavente en esta primera obra, ante la posibilidad de ese mundo desconocido que quiebra todas las esperanzas, trasplantándonos a una inesperada tierra sentimental, es «desconfiar de nosotros mismos», «porque podemos dudar» realmente.

Manuel está lanzado por un camino íntimo de imprevistos psicológicos. Cada vez que se manifieste uno de ellos, toda su línea ética cambia de rumbo. Manuel navega sin rumbo, no tiene buen puerto al final de su arriesgada travesía por el mar de todo lo posible.

La desconfianza que le nace después de su primer intento por ser —atenciones con María, ilusión de descanso, tranquilidad, calma, reposo y confianza— de un modo espontáneo, le hará tímido e incapaz de lanzarse a una valoración de la vida y sus circunstancias. Su única norma, la indecisión. El hombre no puede ser como quiere; si lo pretende, al llegar al límite de la más secreta intimidad, ésta será escollo inesperado que le forzará a variar la ruta.

Por esta desconfianza, por la influencia decisiva de lo secreto en la vida, el personaje es para sí mismo un ambiente propio, donde se entrelazan todas las posibilidades secretas.

La fuerza imperativa de lo secreto, antes de manifestarse en el punto cumbre del argumento, determina la elección del personaje. Para Benavente todas las circunstancias de la vida son jalones y causas que ayudan su manifestación. El personaje no es libre, porque le somete lo secreto en toda su íntima clandestinidad.

En *Más fuerte que el amor...*, Benavente demuestra toda la fuerza determinante de lo secreto. Aunque la voluntad del personaje trace libérrimamente su camino, lo secreto, todavía oculto, se opone.

Carmen, protagonista, quiere conducir el timón de su vida: rechazó a Guillermo para aceptar a Carlos; ahora abandona a éste por huir con aquél. Pero no, todas esas decisiones no tienen ningún valor; hay algo más fuerte que el amor: un sentimiento que hay en toda alma de mujer, con el que Carmen no había contado y que le obligará a permanecer junto a Carlos.

«Ahora» que ese sentimiento se manifiesta, «ahora sí» que acepta, quiere permanecer junto a Carlos, olvidando, rompiendo su determinación de huir con Guillermo, porque ya no tiene ninguna fuerza, porque ya no puede decidir su vida, porque el diablo de lo secreto imprevisto ha decretado lo que ha de ser su destino.

> CARMEN: «Sí, a mí... Soy su madre también. Ahora sí; ahora para siempre con él... Oyeme. Aquí, ya lo ves, es el dolor, es el sacrificio .. Allí

me esperaba la vida y el amor del único hombre que me inspiró verdadero amor en la vida. Me esparaba... Me espera...»

DUQUESA: «¿Qué?»

CARMEN: «¡No iré nunca! Pude pensarlo cuando él aún podía impedirlo, cuando podía matarme... Ahora, no; ahora, no... ¡Mi pobre niño enfermo!... Ahora sería tan infame como si abandonara a un hijo... Sí, ya lo ves; tengo un hijo, tengo un hijo... No es el orgullo como tú dices, lo que me defiende».

DUQUESA: «¿Qué vale el orgullo? Es el amor, ¿verdad?»

CARMEN: «No, algo más grande... Es un sentimiento que es toda el alma de la mujer... algo que de no existir haría de la vida una lucha de fieras...; es la compasión, más fuerte que el amor...»

El «ahora» que indica la determinante aparición de la fuerza secreta, se confirma en los adverbios «aquí» y «allí» que dividen la posibilidad ética del personaje: junto a Carlos, «aquí», junto a Guillermo, «allí», que es lo que quería la protagonista, lo que quiso siempre y ya no puede quererlo. Podemos preguntarnos qué hubiera sido de Carmen si no hubiera brotado en ella la «compasión»; qué hubiera ocurrido si no hubiera surgido ante ella como lo único que *puede*, frente a lo que *quiere* hacer, como un cruce de caminos que sólo ofreciera uno al preocupado e indeciso caminante.

Sin la compasión, súbitamente manifiesta, no tendría sentido la vida teatral de la protagonista. Y esta determinación exclusiva de lo imprevisto es lo peligroso, y, sin embargo, es lo que defiende Benavente en su imitación escénica de la vida. Es peligroso, muy peligroso que sus criaturas adquieran razón de ser, tomen contacto con su existencia, a través de los tules informulados y desviantes de lo involuntario.

Señora ama. Dominica ha vivido cegada por el cariño hacia su marido. Los devaneos de éste confirmaban su enamoramiento. Era la mujer que de un modo natural acaba dominando siempre al final de cada desvío del hombre.

Pero la mujer, escondía a la madre. Cuando la mujer es madre, cuando un instinto más puro, en este caso, sustituye a otro instinto más elemental; cuando lo maternal sustituye a lo femenino simple, la personalidad de Dominica, castellana de un castillo abatido, fortalece su poder y señoría en el instinto maternal: ya no es ella ahora, ahora ya es el hijo también. Algo nuevo, recién descubierto, pesa y monta tanto como antes montara y pesara la fuerza femenina. Lo que antes era agresivo —«Me paecía a mí que el que te quisieran era un modo de decirme que yo tenía que quererte más que toas juntas pa ser *más que toas ellas*»—, se transforma en potencia y baluarte defensivo —«...ya no es por mí sólo, que tengo que mirar por nuestro hijo»; «Pero no será así de ahora en adelante».

Dominica ha dejado de ser Dominica para ser «señora» y «ama», para dominar en una tierra de nadie que ya es suya.

> DOMINICA: «Sí; a ti ninguna te importa, a ninguna quieres..., pero la del otro: no quiero, no quiero, échamelo en el capillo. Pero no creas que voy a pasar por más...; ya no es por mí sola, que tengo que mirar por nuestro hijo... y muchas cosas que no había mirao nunca; que he tenío la culpa más de cuatro veces; que cuando tú no habías reparao que alguna te quería, era yo la que te hacía reparar. Me paecía a mí que el que toas te quisieran era un modo de decirme que yo tenía que quererte más que toas juntas pa ser más que toas ellas. Pero no será así de ahora en adelante... Y toa esa gente de la Umbría y de la dehesa, too eso se ha acabao; ya están despedíos...»

¿No es triste que el personaje tenga que someter su perfección posible a la manifestación de algo inesperado cuya existencia ignora? Benavente somete al individuo a la peor tortura: sabe que puede ser persona perfecta, y no serlo.

La Malquerida es la tragedia de la mujer que malquiere. El sino de Acacia es el sino de las flores: morir por ser flor. Ella no sabe hasta el fin de su vida escénica qué semilla germinaba secretamente en su intimidad: ¿se saben flor las flores?

Dejando aparte el atractivo de todo enigma humano, Acacia con su enigma es más sensitiva que sensible. Es la placa animada que acusa la sombra de su intimidad: la vida psíquica y espiritual de «la malquerida» es un negativo.

Su vaivén espiritual se debate entre ciertas incertidumbres. No tiene ningún móvil positivo, de afirmación en su vida; nada que la lance a tomar contacto con la realidad exterior; todo la impulsa hacia sí misma, hacia dentro.

Comienza siendo la hija indiferente ante el enamoramiento de Raimunda, su madre, por Esteban, su padrastro; indiferente también ante su boda, ante su segundo proyecto de boda, porque el primero se deshizo sin causa aparente.

En los primeros momentos de la obra tiene más importancia Raimunda, con su amor por Esteban, con su alegría por la boda de su hija, que Acacia. Esta va cobrando importancia, va situándose en primer plano, a medida que lo secreto pugna por aparecer.

Raimunda tiene su vida cuajada de alegría, y una sola pequeña pena: Acacia no quiere llamar padre a Esteban; rarezas de su carácter, que se curarán con el matrimonio.

Faustino, el prometido, es asesinado la noche antes de la boda: comienza la tragedia. Sospechas que recaen en Esteban, habladurías, y la copla, la copla que trae el grito de la infamia: Esteban quiere a su hijastra.

Raimunda, mujer antes que madre, convencida de que Esteban ha instigado el crimen e hizo fracasar la primera boda, quiere alejar de su lado a Acacia. Su amor por Esteban antes que nada. Pues, ¿en esa sumisión absoluta, en ese silencio de Acacia ante su doble fracaso matrimonial, no habrá una complicidad? Sí, Acacia debe alejarse.

La maternidad no cuenta, hasta ahora, en el ánimo de Raimunda. Ser madre de Acacia sólo le puede servir para obligarla a que llame padre a Esteban, y le reconozca, besándole.

Y Acacia besa a su padrastro, pero le llama Esteban, le llama por su nombre, besa al hombre, y al contacto con esa realidad secreta que en ella anida, Acacia es Acacia, Acacia olvida que es la hija triste y desventurada de Raimunda, para ser una mujer frente a otra mujer. Y en este momento, Raimunda se acuerda de que es madre; antes no.

Lo peligroso de esta concepción de la vida espiritual, reside en la irresponsabilidad psicológica con que Acacia se conoce amante de Esteban. Hasta del beso, de la ocasión para que las aguas negras se desborden, es Raimunda la única responsable.

No era odio lo que Acacia sentía por Esteban, tal como ella misma lo creía, como lo creía también Raimunda. Y el autor es responsable de esta mutación de signo moral en la vida de sus personajes.

En el acto primero dice Acacia:

> «¿Pero tú crees que yo me hubiera casao si yo hubiera estao sola con mi madre?»

Es el autor el que va cincelando todas las posibilidades espirituales de sus personajes, y el que las llena de significación. Acacia no sabe nada de su amor, porque así lo quiere Benavente, pero él la conoce por dentro, y la lanza a un destino aciago y ciego. El pone en sus labios estas frases, que brotan espontáneamente del alma mutilada de Acacia, como de los vasos de barro rebosan las gotas que no calmarán ninguna sed:

> ACACIA: «Mira estos pendientes; me los ha regalao... Bueno, Esteban...»
> «Estos pañuelos también me los trajo él de Toledo...»
> «Esta caja me la trajo él también llena de dulces».

Y así, Benavente lastra a sus muñecos, atándoles con las lianas de sus más recónditas e incontrolables posibilidades, a los pequeños enseres ordinarios, pañuelos, pendientes, dulces; y los recuerdos sentimentales que éstos provocan son chispas dispersas de una hoguera secreta, en la que la auténtica, deliberada, consciente y responsable manifestación de la personalidad se consume y sólo es montón de cenizas.

2. Ser o parecer

Si para Benavente es imposible que nos conozcamos, porque, con frase benaventina, lo mejor de nosotros nos huye, se nos escapa, es inútil que alimentemos la esperanza de que los otros, los demás, nos conozcan tal y como somos en verdad.

Esta vez, captamos a Benavente en otra actitud ante el personaje. Si antes la intimidad sorprendía al mismo personaje, ahora el autor, con toda la omnipotencia de un creador, hace que el personaje esté seguro de sí, de sus sentimientos; por esta vez la intimidad no le va a causar ninguna sorpresa.

Pero no por esto es seguro y tranquilo el camino, venturosa la andanza del personaje, porque si antes era lo secreto imprevisto lo que mutilaba sus posibilidades de manifestación, ahora serán los demás los que no aceptan el modo de ser del personaje.

Si antes voluntad y entendimiento nada tenían que decir contra la primacía de lo imprevisto sentimental, ahora es sólo el entendimiento el que resulta lesionado en sus derechos.

La voluntad decide sin ningún impedimento. La voluntad afirma al personaje ante sí mismo para que se acepte, y le niega toda ayuda para cambiar ante la incomprensión de los otros. El personaje se acepta tal como es, y aparece como inaceptable a los demás.

Si el entendimiento participara en esta nueva coyuntura de la individualidad, el personaje podría adquirir un concepto objetivo de sí mismo, y la reforma de su modo de ser transformaría el concepto que merece a los otros. Pero el personaje benaventino sufre una mutilación en su entendimiento desde el mismo momento en que es concebido.

Siempre que la voluntad y el entendimiento no participen en la génesis y manifestación del sentimiento, con participación plena, la vida de los personajes será irracional, ignorando toda norma moral. Y es lo que ocurre con el eticismo de Jacinto Benavente.

Y aunque el entendimiento participe anunciándonos dónde está la verdad, la primacía del sentimiento nos aleja de aquélla, nos impulsa hacia la mentira. Es la trama de *Hacia la verdad:*

> PEPE: «Locos nosotros, que sabemos dónde está la verdad y volvemos hacia la mentira».

«Sabemos»: el entendimiento cumple su función. «Volvemos»: impulso íntimo, opuesto a nuestras aspiraciones y que se impone tiránicamente al final de toda lucha. En este sentido, *Hacia la verdad* es el puente entre la linde de lo secreto y la ribera del ser y parecer.

Lolilla, protagonista de la obra en cuestión, añora un mundo donde los quereres duran porque no se les pone precio. Lo entiende así, sin embargo..., aunque quisiera que así fuera su vida, no lo es, está lejos de serlo, y ella no lo puede impedir.

Intimamente es de un modo; parece otra, sin embargo, ¿dónde está la voluntad? ¿No hay ninguna posibilidad de rectificación?

Y aunque la rectificación fuera posible, Benavente se pregunta: ¿la aceptarían los demás; Lolilla sería Lolilla, Gilberta seguiría siendo Gilberta? Y Benavente responde categóricamente: no.

Porque Gilberta fué la mariposa que tuvo irremisiblemente que volar sobre el mar, que tuvo que desaparecer para que la fe en sí misma permaneciera sin mancha ni tacha, incólume.

Incólume ante sí misma, sólo para sí misma, porque los otros no podían creer en ella. Incólume para que pudieran creer en ella:

> FÉLIX: «¡No me perdonaré yo tampoco!... ¡No creíamos en ella! ¡Todo es frivolidad, decíamos... Y para que creyéramos, para creer ella misma, ha sabido morir!... Era la mariposa y voló sobre el mar».

Félix encarna para Gilberta el amor honrado, el límite de las aspiraciones de una mujer. Aun de una mujer como Gilberta: una mujer que se deja querer, adorar, enriquecer por Samuel, protector de Félix. Este agradecimiento que une a Samuel y Félix, impide que éste acepte —la situación es un poco absurda— el querer de Gilberta, que se recobra de toda ambición pasajera, que recobra el dominio sobre su desordenada frivolidad porque quiere ser digna de Félix.

«¡Toda es frivolidad!», decían. Y aun más: «Su vida de usted es esa, no puede ser otra». Así juzgan a Gilberta los otros. No hay una sola persona que le ayude en su convicción: «Todos lo dicen...» «No creíamos en ella!».

Ante tantos golpes de mar, la triste barquilla que intenta, solitaria, un crucero, sólo tiene un destino: el naufragio grandioso, benaventino. Un naufragio en el que se salve la intención, la idea, el afán de cruzar el mar ella sola: «...para creer ella misma...»

> GILBERTA: «... la ambición de un gran amor del que no podré ser nunca digna (fué) para mí como ese mar para la mariposa que voló sobre el mar...»

Hay algo de inaplazable e ineludible en este destino de Gilberta: se ha dado y no puede rechazarlo: no puede hacer que los demás, ni Félix siquiera, crean en ella:

> GILBERTA: «Sé que en mi vida frívola pude ser muy dichosa de vanidad en vanidad».

«Pude», ahora, después de esa ambición de un gran amor, tiene que aceptar su destino, su verdad, que sólo vale, que sólo sirve para sí misma:

> Gilberta: «... En un instante habré vivido toda otra vida...»

La vida en la que no caben ni incompresiones ni desconfianzas, la vida de la que es capaz y los demás no lo creen.

Y con esta ansia de otra vida —esta «otra vida» volveremos a encontrarla en *Una señora,* pero desde otro punto de vista— tocamos la línea donde comienza la grandeza psicológica en la que ya no es necesario responder de nuestro corazón, de nuestros sentimientos, porque es algo nuevo al que nos lleva el miedo de todo lo que ha sido nuestra vida, hasta el momento en que en ella apareció esa ineludible fe en nosotros mismos.

> Gilberta: «¡Déjeme usted!... Nunca había llorado de felicidad... ¡Qué bueno es sentirse el corazón lleno de bondad!... Ahora me parece que todo lo perdono, que estas lágrimas limpian el corazón de todos los malos recuerdos..., si ya no fuera esta mi vida. Y... ¿quién sabe?... ¿Cómo responder de nuestro corazón?... Tengo miedo, el miedo a lo que ha sido hasta ahora toda mi vida. ¡Si esa vida pudiera más que yo!... Todos lo dicen: «No lo creemos, no podrá usted vivir mucho tiempo lejos de París, del teatro. Su vida de usted es esa, no puede ser otra...» ¿Usted también lo cree, como todos?...»
>
> «...Prefería cuando me hablaba usted con aspereza, casi con odio. ¡Mi corazón de artista!...

> De artista que persigue emociones, comedias que nos inventamos en preparación de las que han de escribirnos... ¿Es lo que usted cree también? ¿Sí?... Yo no sé si usted se acordará: un día en el barco vimos revolotear una mariposa, sin duda vino entre las flores o entre los ramos de limonero que de Taormina trajimos a bordo. La mariposa volaba sobre el barco, pretendimos aprisionarla, pero ella tendió el vuelo, voló hacia el mar, voló muy lejos, la perdimos de vista. Todos pensamos: «No podrá volar mucho tiempo; las alas sutiles de una mariposa no son para volar sobre el mar».

Gilberta y la mariposa quieren huir de la nave hacia tierra firme. Hacia una tierra lejana donde pueda resplandecer con brillo propio la verdad que llevan consigo.

De un lado, Benavente desconfía, niega que la mariposa o el alma atribulada de Gilberta pueda alcanzar ribera alguna: ¿qué mariposa puede cruzar el mar?

Pero esa patria de certidumbre, es tanto más ansiada cuanto más lejana. Benavente la busca y la encuentra: la vida frívola a la que Gilberta ha renunciado, porque encontró otro rumbo a su intimidad, ya nada puede contra ella, contra la nueva Gilberta —«¡Si esa vida pudiera más que yo!»— que «era la mariposa y voló sobre el mar», —«Para que creyéramos, para creer ella misma, ha sabido morir»—:

GILBERTA: «... En un instante habré vivido toda otra vida; no es sólo la gloria del triunfo lo que puede dar fe de una noble ambición...»

«Dar fe», en una huida suicida, de sí misma frente a la incredulidad de los otros. «Dar fe de una noble ambición» en la muerte, para que la vida anterior no pueda turbar con sus recuerdos la nueva... muerte.

Gilberta al morir abandona la Gilberta incomprendida. Gilberta, al morir, encuentra a Gilberta. Gilberta muere por miedo de sí misma, para encontrarse a sí misma.

Es una solución absurda que sirve de pedestal a la intimidad sin consistencia, a una intimidad que no sufre ni supera la tribulación, que todo instante lleva a la vida de los hombres. Tribulación de siempre en toda alma de hombre, que late en toda vida, que es insatisfacción de lo que la vida ofrece, que es germen de esperanza en algo, de una patria prometida, que toda alma puede esperar, puede lograr si muere a sí misma. Pero esta condición no existe en Benavente, ni cuenta en su ideología decisiva y auténticamente, porque las almas benaventinas no mueren así mismas; mueren para sí mismas.

Ahora bien, supongamos que los personajes viven compenetrados, unidos, son Marido y Mujer. Ningún resquicio quiebra su unión, su querer. Las condiciones de su vida modesta les unen aún más;

acaso la riqueza, que el uno para el otro ansían, les desuniera. Pero es una sola suposición: sólo la suerte loca puede hacerles ricos, alejar de ellos las preocupaciones económicas. Ellos sueñan en lo que harían si el dinero llegara: una gramola, vacaciones en la sierra...

El dinero llega, fatalmente: quien les confiara una cantidad, muere aquella misma noche; no quiso recibo alguno; así pues... pueden quedarse aquel dinero, no perjudican a nadie, no hay herederos... Pero alguien tiene la constancia que, por desconfianza, dejó antes de morir. El «chantage» quiebra la calma y el goce del matrimonio protagonista de *La honradez de la cerradura.*

Una y otra vez, el matrimonio entrega dinero. El marido llega a aceptar una cierta amistad con el «chantagista». La acepta con plena repugnancia; toda su fisonomía humana, hecha de honradez, se rebela.

> MUJER: «... como si te pareciera lo más natural del mundo tratar con ese hombre...»
>
> MARIDO: «... ¿Ahora te parece mal?... ¿Quién ha tenido la culpa de todo?»
>
> MUJER: «... ¿Quieres decir que he sido yo?...»

Una sola circunstancia ha cambiado la manera de ser íntima de los personajes, ante sí mismos —«como si te pareciera lo más natural del mundo tratar con ese hombre»— y recíprocamente.

Por una circunstancia —prescindiendo de la significación moral— los personajes dejan de ser lo que fueron, ya no pueden mirarse con los mismos ojos, ya no pueden entenderse y vivir unidos. Su identificación ya no es posible, porque aparecen el uno ante el otro como distintos: han dejado de ser tal como eran.

En sus diálogos de reproche desconfiado, ya no existe el verbo ser, sino parecer:

> MUJER: «... tú no dijiste nada. Si tú hubieras dicho: «Hay que devolver ese dinero», me hubiera *parecido* bien...»
> MARIDO: «No; soy yo, por lo visto, el que debe *parecerte* despreciable».

En Benavente los personajes, las vidas, las almas, son mudables. No tienen la fijeza de lo que está abocado a lo eterno. Cada circunstancia exterior mutila la intimidad, para injertarle algo que la cambia sustancialmente.

La conciencia de estos muñecos benaventinos se liga de tal modo al presente, que resulta inútil para ellos toda raigambre espiritual, toda fidelidad a un modo de ser, nunca pueden ser como quisieran; los personajes benaventinos por desarraigados en la tierra firme de la personalidad, son vidas a las que se les niega todo posible retorno al camino abandonado. Ni siquiera puede decirse que tengan camino propio, porque todo camino supone un punto final, en el que el afán peregrino se consuma; pero cuando la dicha o la desdicha, la forma de ser en fin, se identifica con lo que el hombre parece a los demás, la vida no es camino hacia la tierra prometida y esperada, sino entelequia esteticista, que sólo conmueve las capas superficiales de la razón.

Ninguna circunstancia en la vida, que influya por igual a dos personas unidas puede conducirles a esta solución de Benavente:

> MUJER: «Y yo a ti, si crees lo que dices... Ya no podremos querernos nunca como nos hemos querido. Hemos perdido nuestra estimación, la confianza del uno en el otro».

Resulta extraño encontrar precisamente al final de su obra —*La ciudad doliente* (1945), y *La Infanzona* (1945)— la declaración de la ideología a la que sus obras están afiliadas: aquélla al freudianismo, ésta a la psicología de Jung. Movimientos que están superados en el momento en que son escritas esas obras. Movimientos que están en auge cuando Benavente comienza su labor creadora, pero que, aunque latentes en el teatro benaventino, no definen nunca la ideología de nuestro autor claramente.

Por todo esto tenemos que concluir que Benavente sufre un retraso informativo, que, en segundo lugar, le quita originalidad.

Benavente se afilia abiertamente al pensamiento europeo en el momento en que la significación de éste ha cambiado de signo, y de un modo absoluto. Benavente termina su obra, escribe la última palabra, define su filiación, rodeado de voces, nombres y obras, movimientos y hombres, que creen y defienden lo contrario exactamente.

Y bien claro se ve cómo el pensamiento y la creación de Benavente sigue un proceso de desarrollo. Al problema de la apariencia entre dos de *La honradez de la cerradura* sucede el de la apariencia y el ser en una misma individualidad, *La ciudad doliente*.

A Nieves, protagonista, ya no le preocupa ser. Busca decididamente la apariencia, como la única solución. Nieves no ha odiado; Nieves no envidió. Es decir, no ha sufrido ninguna gran pasión que la personalizara, que la diera significación por sí misma.

Lo que determina a Nieves no es su independencia vital y completa frente a los demás, aisladamente, como unidad cumplida y perfecta en sí misma. La fuerza que la determina, la que ella elige para ser es su apariencia ante los demás; la cantidad de apariencia: cuanto más aparente un modo de ser, tanto más significará para los demás.

La persona de Nieves nos es dada por una cantidad de apariencia que la individualiza y que sólo sirve para que se distinga de los demás.

Lo que la lleva a transformar su vida en una cantidad de apariencia es ver su imagen reflejada en las circunstancias y personas en torno, influyendo.

Aparenta enfermedad frente a la salud y las fuerzas de su hermana Guillermina. Muerta ésta, recobra la salud y sustituye en todo a su hermana, en toda circunstancia, hasta en el puesto que Guillermina ocupaba en el corazón de Julio.

Su apariencia se transforma en dominio. La apariencia, que es la forma de ser de Nieves, triunfa.

No es un modo de ser, es una apariencia que depende de los demás. Si fuera auténtico modo de ser, no intervendría el factor del subsconsciente. Nieves domina, significa, crea un mundo de valores afectivos en torno a su apariencia, subsconscientemente, a pesar de sí misma, sin que ella lo quiera, porque tiene que ser así. Porque éste es el único cauce que se ofrece a su intimidad.

Esa significación, ese dominio de la apariencia, «satisface», es decir, nos hace —facere—, lo suficiente, lo bastante —satis—, importantes.

He aquí el error de Benavente: el hombre no puede importar —llevar consigo, ser—, no puede ser, sino tan sólo satisfacerse. La perfección máxima humana es imposible para Benavente.

> Nieves: «No es preciso odiar. Yo no he odiado nunca, ni he envidiado tampoco. Sólo me veía insignificante y he querido significar. Para nada se contaba conmigo, y yo he contado. Lo mismo que en mi habitación de enferma, me habían en-

> cerrado en mí misma, y yo necesitaba mayores dominios espirituales. A todos nos satisface ser causa de algo, dejarse sentir en la vida de los demás. Y eso he querido yo».

La ciudad habitada por hombres así, por hombres menguados, es doliente, porque se les cierran las ciudad doliente, es doloroso. Y la empresa libera-son los personajes benaventinos.

Para los que tienen fe y esperanza en una ciudad sin amores a sí mismo —sin odio a Dios—, ver la ciudad doliente, es doloroso. Y la empresa liberadora, redentora, nace y urge.

3. Los grandes impulsos vitales

Lo secreto imprevisto sitúa al personaje en el aire; le quita del camino de su realidad, y parece susurrarle al oído: ¡huye del camino, porque sólo en las sendas sufrirás encuentros imprevistos!; ¡no camines, divaga, diviértete, sal de ti; ya volverás a ti cuando ningún imprevisto, secreto te aguarde! Esto ¿es posible?

El personaje aumentó su desventura cuando, encarnado en Gilberta, aprendió la lección equívoca de su autor: morir, huir de sí mismo como única solución para ser como se quiere ser. Y la misma voz, como un eco de la anterior, concluía: ¡no camines, divaga, diviértete, sal de ti! Pero ya no le decía que podría volver a ser. Ser es imposible; sólo es posible la apariencia, significar como Nieves.

Y ahora, el personaje, huido de sí, proclama, al dictado de su creador, que la verdad de su vida está fuera de sí, lejos de sí, pero que no sabe dónde encontrarla. Benavente tiene que solucionar este problema, y lo consigue; transforma la propia conciencia en ídolo. Toda la vida será un impulso, un esfuerzo por dominar la conciencia, por apartarla de su tendencia a lo que es objetivo. La conciencia ya no reflejará la verdad. Será ella misma nuestra verdad, la única posible.

> ANGELITA: «... conmigo. Una sola conciencia despierta entre tantas conciencias dormidas. Estoy sola, pero soy fuerte. Creo y confío en mí».

Cada personaje está sólo consigo mismo. Cada uno es un mundo con atmósfera y órbita propias. Nada puede importarle sino esta seguridad, esta fortaleza ensimismada que es todo su credo, al mismo tiempo que el motivo de su esperanza confiada. Esto es lo que dicen las anteriores palabras de la protagonista de *Gente conocida.*

En torno a la propia conciencia se construye la fortaleza del personaje. La conciencia individual es, al mismo tiempo, algo cuyo dominio importa y, una vez dominada, fuente de normas prácticas. Pero para dominarla es necesario negarle valor universal en el tiempo y en el espacio; su vigor se limitará a la zona de la individualidad, y se identifica con ésta. Me parece que siempre se insistirá poco en este punto fundamental para comprender el pensamiento de Jacinto Benavente, y dar a su obra la significación que le corresponde en las letras españolas.

La frase de la obra citada puede analizarse en tres proposiciones que, encadenadas, se explican mutuamente.

Sea la primera: «Una sola conciencia despierta entre tantas conciencias dormidas». Supone toda la acción argumental de la obra de referencia, muy del gusto finisecular. Angelita, protagonista en el más pleno sentido etimológico, agoniza, lucha y vence todas las circunstancias creadas contra ella por los otros personajes de la obra, que cobran personalidad en cuanto obedecen a lo antiindividual, a lo gregario. Angelita no sólo protagoniza «una» individualidad, sino, Benavente insiste, que además es «una sola», y «entre»: cercada. La oposición entre individualidad y gregarismo se califica por dos formas verbales, «despierta» frente a «dormidas».

La segunda proposición es: «Estoy sola, pero soy fuerte», que confirma lo individual, el valor absoluto de la conciencia para el personaje; y con valor moral: la intimidad del personaje es la pantalla donde aparece su existencia y lo que ésta significa por sí misma, y, además, constituye la fortaleza, «soy fuerte», de esa manera de existir.

La tercera proposición no tendría sentido sin las

dos anteriores, que la amparan, iluminándola. Angelita no podría «creer y confiar en sí» —«creo y confío en mí»— si no se sintiera segura de sí misma y de lo que puede.

Angelita es, pues, un impulso vital arraigado en la intimidad, nacido en sí mismo. Con tal poder diferenciador, que ocurre como si el personaje, una vez conseguida su diferenciación, una vez aceptada su misión, se contemplara desdoblado y se tomará como autoideal.

Lo íntimo del personaje y su poder autodidáctico es el tercer aspecto del personaje benaventino, que vamos a comprobar en otras obras, que tendrán matices nuevos: variedad aparente de la monótona temática.

¿Qué otra cosa hace Alma, protagonista de *Sacrificios,* cuando sigue un equívoco mandato de su querer?

> ALMA: «¿Capaz de querer todo lo que yo quiero?...»
>
> RICARDO: «¿Y tú quieres?...»
>
> ALMA: «Ver muy dichosos a los que yo quiero...»
>
> RICARDO: «Yo nunca podré serlo sin ti...»
>
> ALMA: «No me mires. Vuelve hacia allá los ojos *(Señalando al jardín)*. Es lo mejor de mi alma, todo lo bueno que hay en mí, todo lo que en mí adorabas... Serás dichoso... ¡Hermana, hermana!...»

RICARDO: «No la llames, por Dios; no la llames, Alma de mi vida!...»

ALMA: «¡Chist! ¡Hermana también, llámame hermana!...»

Así dice el diálogo fundamental de *Sacrificios*. El desenlace puede adivinarse; tiene que existir alguien que dé lugar al título.

Nos encontramos ante un triple «sacrificio» —no olvidemos el título plural—; el de Ricardo, que, aceptando casarse con Doll, sólo se «sacrifica» aparentemente, pues con ello consigue poseer a Alma; el «sacrificio» de Doll, el suicidio final, que es impuesto por la falsedad de los falsos sacrificios de Ricardo y Alma. Porque tampoco es auténtico, generoso, altruista, aunque lo parezca, el sacrificio que se impone Alma. Veamos.

En primer lugar, si Alma no acepta a Ricardo, es por hacer feliz a su hermana Doll, que está enamorada de éste. Hasta ahora es sacrificio generoso, pero esta generosidad se convierte en una imposición de su conciencia, que quiere contemplarse enriquecida por este «sacrificio». No se sacrifica para disminuir, para desaparecer, sino para significar. Quiere hacer su querer: «¿Capaz de querer todo lo que yo quiero...?». El motivo de su actitud: «Ver dichosos a los que yo quiero...» Un sacrificio auténtico, y más cuando todavía no está consumado, no dice «ver», sino «hacer dichosos», dar la felicidad con mengua de la propia, y más aún: con olvido de esta mengua.

Ricardo adopta su actitud: «Yo nunca podré serlo sin ti...» Alma no se opone a esta decisión de su amante; no se opone ahora, ni hará nada para oponerse a lo largo de la obra. Antes bien, responde: «No me mires. Vuelve hacia allá los ojos...», pero sigue junto a mí —completamos nosotros.

Bien lo hubiera podido decir, puesto que esa apariencia de sacrificio con que se reviste Alma, es la forma en la que ella se contempla —«ver...»— fielmente. No le importa el resultado de su obra, no le importa la obra, sino su participación en ella; su obra será ella misma. Variemos un poco el diálogo original, y nos admiraremos de que no pierde sentido; pensemos que Alma hubiera podido responder a Ricardo sobre lo que quería: «Verme muy dichosa en los que quiero...»

Pero no es esto lo que sucede en la obra. No se ve dichosa, sino que consigue la dicha en sí misma, para sí misma, sacrificando el amor de Doll hacia Ricardo, pues la íntima ansiedad que Alma alimentaba en su torcida alma al ofrecer a Ricardo la vida y la felicidad de Doll, era ser poseída por Ricardo.

Es inútil, parece decirnos Benavente, después de este análisis, imponer a nuestra intimidad otros fines que no sean los que le pertenecen inajenablemente. Es imposible enajenar nuestra intimidad, ella rige y gobierna nuestro destino despóticamente. Los valores que ella escoge para conformar la subjetividad, esos son los únicos que privan. Nada hay fuera de la conciencia que pueda reportar un nuevo sentido a la vida.

> «No lo sabremos nunca. Era un alma buena, y las almas buenas se sacrifican en silencio».

dice enfáticamente Alma, comentando la muerte de Doll. Y con esta frase de última hora Benavente quiere sacar una conclusión moralizadora. Para que este pensamiento de segunda mano tuviera arraigo en el argumento, para que fuera la síntesis argumental, sería necesario que *Sacrificios* hubiera sido la historia cristiana del sacrificio, mejor: de la vida sacrificada de Doll, y no hubiera terminado con un supuesto suicidio, sino de otra manera acaso muy distinta. La obra está escrita en torno a Alma y su pasión triunfadora.

Unos años más tarde, Imperia, en *La noche del sábado*, dice de sí misma, y como si pensara en Alma: «Yo me busco a mí misma». He aquí otro personaje desventurado que recorre, en una andanza imaginaria, entre el aquelarre de la vida, un camino egoísta. He aquí otro personaje que, desdoblándose, mirándose en el espejo de sí mismo, se contempla, y de esa imagen saca todo su impulso vital.

E Imperia, en sí misma, encuentra una mengua que desdora la belleza que posee.

> IMPERIA: «Yo me busco a mí misma. Busco a Donina ignorante, a Donina enamorada. Tu arte me reveló la belleza que yo poseía, y por ella conseguiré lo que sueño».

Ella se llamaba Donina; ahora, que conseguirá todo lo que sueña, se llama Imperia; no puede llamarse con otro nombre.

No tenía nada, y se llamaba Donina. Ahora, quiere algo y se llama Imperia. Abandona un nombre y acepta otro; ha dejado de ser lo que era y ya no puede llamarse del mismo modo. Ella se conoció mirando una escultura de su cuerpo rampante por unas rocas, esculpida por Leonardo; se conoció en la belleza que poseía, y con ella quiso dominar y se llamó Imperia; dominóse a sí misma, en primer lugar.

Este conocimiento la situó ante nuevas posibilidades —«conseguiré lo que sueño»—. ¿Y qué sueña?

> «Atesorar, atesorar; el dinero es la fuerza; con él todo se consigue: el bien o el mal, la justicia o la venganza».

Esta capacidad de dominio que descubrió en sí misma, para en él encontrarse, es la fuente de todo su impulso vital. El impulso hacia el vértice —hacia el vértigo del dominio— «que está lejos de nuestra vida y es nuestra vida verdadera».

> IMPERIA: «... Vivimos muchas horas indiferentes por una hora que nos interesa. Vuelan las

> almas brujas, unas hacia sus sueños, otras hacia sus vicios, otras hacia sus amores; hacia lo que está lejos de nuestra vida y es nuestra vida verdadera».

La vida es indiferente hasta que el alma «bruja», fascinada, embrujada de sí misma, se descubre y vuela hacia allí donde le aguarda su vida auténtica, el ideal, el vicio. Vivir para lograrse, para cumplirse a sí mismo.

La intimidad es fin en sí misma.

¿No lo dice, acaso, *La Princesa Bebé:* «Sólo pediremos la verdad. Y *nuestra verdad* —subrayó: no *la* verdad— es que podemos ser...?». Poco importa que añada «felices»; en este caso el adjetivo tiene un puro valor ocasional.

Antes, la intimidad bastardea un sacrificio, el de Alma; después, Imperia sólo se busca a sí misma. Ahora la princesa Elena rompe, como Angelita, todo el círculo de asechanzas que contra su conciencia (¿?) urde el gregarismo de una posición social —es Princesa—, de una institución —es casada— de las conveniencias del sexo —es mujer.

> ELENA: ¿Es un reproche? El mío parecía un tirano, impuesto por otro tirano; por lo mismo me considero más heroica que tú. Tú eres príncipe, como yo, pero eres hombre y soltero. Yo he tenido que vencer tres tiranías: la de ser princesa, la de ser casada y la de ser mujer. Figúrate si he necesitado ser valiente».

Esta triple dislocación, para «ser valiente», tiene un fin que resume todo el pensamiento benaventino: la intimidad fin en sí misma. Elena no rompe con todo aquello que le da personalidad, por sentirse amada, sino por someterse plenamente a la tiranía de su intimidad:

> ELENA: «... *La eterna lucha humana: fuerza contra fuerza*»,

y luego:

> «Sólo pediremos la verdad. Y *nuestra verdad* es que podemos ser felices, que debemos unir nuestra vida y nuestro destino, y que tan lejos debe estar para nuestro corazón la corte de Suavia como el hogar burgués que soñamos en nombre de nuestra felicidad. No, no era la felicidad todavía, no era nuestra vida; nuestra vida es amarnos, amarte...»

CUANDO LOS PERSONAJES LUCHAN

Los personajes, como los hombres, no viven —existen para sí mismos— aisladamente. Porque existen, se relacionan unos con otros.

Esa relación de convivencia adquiere formas, se expresa de manera vinculada estrechamente a la forma de vida individual.

Benavente nos ha dejado escritas algunas obras en las que los personajes, partiendo de la norma que brota de su intimidad, se encuentran y luchan entre sí. De estas obras, de las más significativas, vamos a tratar ahora.

Ya tenemos antecedentes. Angelita y la princesa Elena, se enfrentan con el resto de los elementos teatrales, sean personajes o circunstancias. Elena habla de «la eterna lucha humana: fuerza contra fuerza». Y Carmen dijo que sin la compasión, «más fuerte que el amor», la vida sería una lucha de fieras.

Los personajes, guarnecidos en su intimidad y

fortalecidos por ella, luchan. Y en esa lucha pirandelliana serán *víctimas* —Dani-Sar, en *El dragón de fuego*—; *solidarios* —*La propia estimación*—; y siervos de *las fuerzas vivas* del egoísmo o el interés —*La comida de las fieras.*

1. Los personajes víctimas

Benavente, en 1904, elevaba esta plegaria: «¡Dios de los dioses, evitad el dolor a todo cuanto existe!». Y se la hacía pronunciar a Dani-Sar, soberano de Nirván, protagonista de *El dragón de fuego,* el personaje con el destino más doloroso que Benavente imaginara. El dolor lacera la vida de Dani-Sar, e influye en la vida de otros personajes.

Sin embargo, a pesar de la plegaria, el dolor existe. El deseo de Benavente no se cumple. Hay personajes víctimas. Y llegan a serlo porque no alcanzan la plenitud de su intimidad, lo que se les ofrece como lo mejor. Porque su intimidad no puede manifestarse plenamente.

El argumento en la obra exótica que comento es una oposición. Mientras Silandia, país occidental, intenta dominar el Nirván, provocando la desunión entre Dani-Sar, reinante, y Duraní, su hermano, utilizando el común amor hacia Mamnii, el monarca está pendiente de su amor fraterno, en cuanto que es lo que le individualiza, incluso frente a la historia de su país: «Quieren ponernos frente a frente; que tus manos o las mías otra vez viertan sangre de hermano».

Dani-Sar, desde cualquier punto de vista, es víctima de su introversión sentimental.

> «¡Y no será, no será! ¿Verdad que no, Duraní? La maldad y el odio de los hombres no serán más fuertes que nuestro amor».

Introversión del personaje e introversión, también, desde el punto de vista del argumento:

> Dani-Sar: «... Quieren la guerra, el odio. ¡El odio siempre! ¡Enemigo! ¡Extranjero! ¿Por qué esos nombres? ¿Qué significan esas palabras? ¿Por qué han de odiarnos? ¡Porque su color es pálido, dorados sus cabellos y con ojos azules! ¿Por qué han de mirar al Nirván como tierra enemiga? El cielo de su patria es negro; su tierra, estéril. Si aman la luz de nuestro cielo, más clara en nuestras noches que en sus días; si aman nuestra tierra estéril para nosotros, por ellos fertilizada, ¿por qué no han de amarnos también si con amor les acogemos? ¿Qué era el Nirván antes de que ellos vinieran? ¡Quieren que los odie respondiendo a palabras que ningún sentimiento de odio despiertan en mi corazón».

Importa muy poco para el análisis de Dani-Sar como víctima, que Duraní siga o no siga las intrigas extranjeras: el final del argumento es el mismo: Dani-Sar, rey del Nirván, dominado como su reino, y toda su intimidad y el bien que ésta le ofrecía como conveniente, rotos.

Lo que Dani-Sar desea, lo que diferencia e individualiza a este personaje, es la obsesión de que *su* verdad triunfe, de que su intimidad y lo que ella guarda, se manifieste.

> DANI-SAR: «¡No dudarás de mí, no podrás dudar nunca de mi amor! ¡Su luz llegará hasta el fondo de tu alma, más que la luz del Sol llegó a sus ojos!».

El sacrificio de Dani-Sar tiene una grandeza en sí mismo: la grandeza de lo que no espera perfección trascendente. La grandeza eticista del hombre por el hombre, del conceptto psicológico de lo humano, que concibe como un orden absurdo —de Nietszche a Sartre, pasando por Benavente— lo que no es subjetivo: la fuerza de Silandia vencedora.

> NAGPUR: «Os prometí reanimar su cuerpo. ¿No queriais una sombra de rey animada? Con su vida os basta. Del mismo modo que a su rey podréis dominar al Nirván. Es lo menos que puede dejarse a los vencidos: el recuerdo y el sueño... ¡Que recuerde, que sueñe! A vosotros la vida que es la fuerza, Silandia vencedora».

La mayor defensa del valor ético de la conciencia y de la intimidad nos la ofrece Benavente en *Lo increíble,* obra tardía ya —1940—, pero que ofrece claramente la habilidad del diálogo benaventino.

En la misma obra encontraremos la irreductible oposición entre lo íntimo y lo gregario de los otros. El gregarismo que Benavente enemista con lo individual ayuda, en la imprecisión masiva que evoca, la concepción como absurdo de lo que no es individual. Sólo en el yo hay orden. Un orden que no tiene puesto ni lugar fuera de sí.

Por eso lo que es bueno para el yo no lo es para lo no-yo:

> JUANA: «¿Que no lo creen? ¿Pues han creído nunca otra cosa? Ahora me miran espantados porque les parece imposible que yo lo diga. Mi cinismo, al decirlo, eso les espanta; pero en su pensamiento no les espantaba, porque eso es lo que ellos creían... ¡Lo creen todavía! ¡Lo increíble para ellos era nuestra verdad! ¡La verdad! Eso es lo que no podían creer. ¡A ver si al oírme a mí su verdad se asustan de ella! Y ya que tanto bien en nosotros les parece increíble, que tanto mal como ellos han pensado les parezca imposible: de lo increíble a lo imposible, eso iremos ganando».

Quiero fijarme en lo gregario, tal como nos lo ofrece el parlamento citado de la protagonista de *Lo increíble.*

Benavente concibe lo gregario como una individualidad colectiva, dotada de una conciencia colectiva. Esta individualidad colectiva tiene, por lo tanto, su propia y autónoma verdad, dictada por su conciencia, en la que cree y por la que alienta, y que es arma de ataque contra la conciencia y la intimidad del personaje, aislado, singular.

La verdad de la conciencia colectiva, no es la de la conciencia individual. Son dos verdades distintas, parciales y en choque. En lucha. Pero no porque choquen en un mismo camino, sino porque la conciencia colectiva es dinámica, y la individual, por el contrario, es estática, ensimismada.

Por eso se llama «víctimas» a estos personajes que sirven de ejemplo; toda víctima es pasiva, recibe, no da nunca y está pendiente de su inmolación para ser distinta, para ser algo muy propio, frente a lo que la inmola.

> JUANA: «¡Es verdad! ¡No puede serlo! ¡Quiérele con toda tu alma! Tú serás su amor y su ideal. Quiérele tanto, que de vuestro cariño y de vuestra felicidad puedan decir todos también: «¡Es increíble!» Ya sabes lo que es increíble para todos: una hermosa verdad, que es sólo nuestra».

No es necesario acumular más análisis detallados, que refuercen lo que se dijo hasta aquí. Pero sin ningún esfuerzo encontraremos argumentos a favor de estas conclusiones en dos obras: *Alfilerazos*, unas, ...*Y amargaba,* la otra.

No se tratará, como en *Lo increíble,* de un supuesto adulterio, tema que tanto ha ayudado, mejor: que tanto ha fortalecido la decadencia de nuestro teatro. En *Alfilerazos*, lo colectivo no entenderá las obras de beneficencia del indiano protagonista; motivo que aprovecha Benavente para solidarizarse, para manifestarse socialista y menospreciador irónico de la nobleza de sangre.

En *...Y amargaba* la intención del argumento sube de tono. La gente, lo colectivo no entiende la admiración de la suegra por la labor teatral del yerno, y lo atribuye a enamoramiento senil. ¡Pobre mujer, y qué pobres hombres somos!

2. Personajes solidarios

Los personajes luchan por imponer en el absurdo gregarismo que les rodea, el principio de orden que emana de su intimidad; y entonces son víctimas.

Pero otras veces, los personajes no luchan contra lo absurdo externo, sino que dirigen su belicosidad individualista hacia la consecución de otro propósito. Dejan de querer imponer sus convicciones íntimas, para lograr que los otros crean en la sinceridad de su sentimiento. Hay una relación muy estrecha entre la fuerza grandiosa y «secreta» de la conciencia y los personajes «víctimas»; relación que corresponde a la que existe entre «ser o parecer», y la «solidaridad» que religa a los personajes entre sí.

Benavente parece que siempre se inclina por plantear la acción dentro de *lo posible*. El, ya lo hemos visto, insiste en que no participa en la vida moral de sus personajes; él, autor, deja que las posibles situaciones morales se planteen por sí solas —admitamos la quimérica irresponsabilidad del autor—, y que ante ellas sean los mismos personajes quienes decidan. Pues bien, no hay ningún personaje en todo el teatro benaventino que maltrate su intimidad, que se personalice en un acto de renuncia; una vez creada, aparecida la situación moral —adulterio formal, por ejemplo—, al personaje importa justificarlo. Es el caso de Aurelio ante su enamoramiento por Angeles, protagonistas de *La propia estimación*.

Aurelio aparece como adúltero y complica a Angeles; toda la significación argumental de aquél consiste en justificar su amor. He aquí el sofisma: ésta le estima como amigo generoso y protector de su matrimonio; si Aurelio manifestara su enamoramiento, se haría indigno de la confianza que Angeles y su marido depositan en él; luego, cual caballero andante del progreso moral, mantendrá vivo su amor, pero no lo manifestará; será siempre amigo leal, bueno, honrado, aparecerá como no es, aparecerá como Angeles le concibe: y he aquí la solidaridad entre los personajes.

Oigamos sus propias palabras que, por cierto, no suponen una alta estima de la honradez de Angeles, que las escucha, comprensiva e impertérrita, sin que la suposición de que ella hubiera cedido, por su marido —¡alta generosidad!—, claro, ante las súplicas carnales de Aurelio, la impulsen a una actitud digna. Oigamos:

> AURELIO: «¡Ya ve usted cómo he sabido quererla! Que si yo hubiera exigido..., exigir, no, suplicado con llanto del corazón, una limosna de cariño, usted..., por mí, no, por él, por él siempre, se hubiera usted compadecido de mí, pero con el corazón destrozado al sucumbir, heroica, sublime, con ese dolor que desgarra el alma y la ilumina al mismo tiempo, ese dolor que yo conozco, que es el del sacrificio; porque usted no habrá nunca pensado de mí que yo, un hombre, un hombre fuerte que ha sabido luchar y vencer en la vida, podía ser tan cobarde, tan bajo, para no callar siempre, para no defender a usted, contra usted misma, si usted hubiera llegado a creer que sólo con el sacrificio de tanta virtud podía corresponder a tanta adoración».

La intención solidaria, el afán de ligar a su adulterio íntimo —Angeles es deseada por Aurelio—, la honradez de los sentimientos de Angeles, está bien patente. Aurelio, al crear esa solidaridad, sólo busca un apoyo exterior, externo, un apoyo en otra intimidad, para que su posición ante el sentimiento imposible tenga fundamento, una razón sentimental de ser.

Hasta tal punto le es necesaria esa solidaridad para por ella no ser adúltero ni ante sí mismo ni ante los demás, que, lejos de hablar de la índole real de su sentimiento hacia Angeles, se refiere al sentimiento no adúltero de ésta para con él:

> AURELIO: «... La verdad de cuanto ha pasado por mi corazón la hallará en ese corazón, que es todo de usted... Hoy he podido vencer al corazón..., y como dijo un poeta, «cuando la cordura pasa por nuestras almas, la fatalidad retrocede y no hay tragedia posible en nuestra vida...»

«No hay tragedia posible en nuestra vida»; es cierto, no hay tragedia, y no puede haberla, cuando ante nuestra intimidad adoptamos la actitud moral más cómoda: la de redimir nuestra vida sin renunciar. Ciertamente, Aurelio dice de sí que «renuncia», y que esa renuncia es «lo mejor que podía darle la vida», pero añade: «renunciar es poseer»: renuncia a la situación equívoca externa, pero sigue poseyendo la situación equívoca interna.

Aurelio renuncia «por su propia estimación, para salvar lo mejor de sí mismo». Lo mejor de sí mismo es un deseo adúltero sin falta material. ¿Razón de esta renuncia?, insisto: lo mejor de sí mismo, la propia estimación. ¿No es esto un círculo eticista y vicioso?

Benavente condena a sus personajes a adquirir conciencia de sí mismos en la conciencia de otros. Benavente religa a sus personajes y su posible bondad a los demás y a la bondad ajena. ¿Desde cuándo las vidas consiguen su bien, suponiendo la posibilidad de mal en los otros? Sólo cuando los hombres se relacionan egoístamente nace una solidaridad circunstancial e intrascendente.

> AURELIO: «... defender a usted contra usted misma...»

Acaso hubiera tenido grandeza trascendente la lucha de Aurelio contra sí mismo, por juzgar como mal lo que a otros podía perder. Pero Aurelio y su autor, juzgan como bien la norma que la intimidad y su sentimiento dictan.

> GERMÁN: «... ¿Es que vamos a destrozar nuestra vida?
>
> VALENTINA: «¿Es que vamos a destrozar *otra* vida? ¿También quieres que yo haga todo el mal que a ti *te hicieron* y que *tú me hiciste*? No; *ya no puedo ser tuya; no soy mía tampoco...*»

He subrayado, a propósito, las frases que mejor muestran el contenido de este diálogo de los protagonistas de *El mal que nos hacen*. En él vemos una intención de solidaridad: «nuestra», «otra» además de la «nuestra», «tú me...», «ser tuya». Pero esta solidaridad moral y temática —el mal que *nos hacen*— brota de la unión física de los protagonistas.

Germán duda constantemente del ¿amor? de Valentina. Ella le abandona. Este abandono, esta ausencia física, crea en el ánimo de Germán una constante necesidad de Valentina. Esta necesidad hace ver a Germán toda la fidelidad carnal de Valentina (! !), que, cuando le abandona, es la cadena con que Valentina le ata y se ata al hombre abandonado.

> VALENTINA: «... Ahora que estaré lejos de ti, eres mío como no fuiste nunca».

Ahora bien, esta solidaridad no es de tal índole que lleve a los protagonistas a reparar la falta cometida, a fundar su unión de tal manera que sea imposible toda duda, toda inquietud. Lejos de esto, la solidaridad sólo tiene vigor para afirmar a los protagonistas en la veracidad, en la validez ética de su ajuntamiento.

> VALENTINA: «Nadie te ha querido en la vida como yo te he querido. ¿No es esto ser tuya para siempre?»

Fijémonos que la solidaridad sólo sirve para reforzar un modo de entrega, que aceptan como norma de conducta. Estos dos protagonistas desunidos, resultan solidarios, nunca responsables, el uno para el otro, no en vida, sino en la firmeza de lo que su intimidad les ofrece, les exige: poseerse.

Ahora bien, Valentina, al abandonar a Germán, no busca moverle a una rectificación de su proceder para con ella, sino confirmar el lazo sentimental e íntimo que les une, cuya índole ética comprobamos en las palabras de Valentina, en las que se niega a abandonar al amante con el que sustituyó a Germán. Palabras que ponen de manifiesto la ligereza con que Benavente trata lo divino y lo humano. Las dos uniones de Valentina tienen las mismas características; por eso podemos suponerles las mismas razones fundamentales:

> VALENTINA: «... Al morir, fué su madre la que juntó nuestras manos... Y fué como una *bendición,* como un *sacramento.* La tristeza, las lágrimas compartidas, el dolor que puede comunicarse entre dos corazones, los une para siempre más que todas las alegrías. La tristeza, las lágrimas que hay que ocultar de quien las ha causado..., como yo tuve que ocultar de ti mi tristeza y mis lágrimas..., esas lágrimas van apartando nuestro corazón de quien las ha causado; esas lágrimas saben vengarse... Mis lágrimas están vengadas. Ahora sé que me quieres como no me has querido nunca... ¡Crees en mí, crees! ¿No vale esa fe, más que yo misma? Ahora que estaré lejos de ti, eres mío como no fuiste nunca...»

La unión con Germán se fortalece en la separación. La segunda unión se fortifica en una circunstancia sentimental a la que se le otorga un carácter inviolable. Ambas solidarizan a los personajes, no por lazos que les trascienden, sino en la misma tierra cenagosa de su intimidad.

No son las razones de la vida —arrepentimiento— las que solidarizan, sino la intimidad, tal y como se manifiesta. Dejando aparte la ligereza con que Benavente emplea las palabras «bendición» y «sacramento» —mata su noble significado propio de un modo apoético—, la unión de Valentina con Germán, y ahora con su nuevo amante, un amigo de la infancia, sólo tienen como fundamento: «el dolor que puede comunicarse entre dos corazones», «la tristeza, las lágrimas que hay que ocultar». No encontramos ninguna otra razón que estas intimistas y sentimentales que den lugar a frases como «eres mío como no fuiste nunca...»

Necesariamente tendremos que pensar que la solidaridad en *El mal que nos hacen* es de tipo carnal. Benavente ha bajado un peldaño en su temática.

Sin embargo, personalmente, pero sobre razones objetivas, prefiero esta carnalidad abierta y «limpia» de sutilezas que los sofismas eticistas de *El demonio fué antes ángel.*

Lo que ocurre en esta obrita es divertido. El demonio es un demonio farandulesco, de repisa; es un diablillo. No se trata de Satán. No; los tiempos en los que el teatro se nutría por las raíces que la metafísica tiene hundidas en la vida ordinaria, aun en la carne, han pasado. (Estas páginas están escritas con la esperanza en que volverán, remozadamente.) El demonio benaventino nunca fué ángel.

Casilda tiene al diablillo del subconsciente metido en el cuerpo. Es una mujer llena de debilidades; no se espere de ella una caída o una incitación a la caída. Es una eva freudiana que siente su feminidad halagada por la secreta y silenciosa adoración de Hernán.

Hernán es el instrumento del diablo. Ama a Casilda, pero se casa con Fernanda, la amiga fiel de aquélla. Joaquín, el marido de Casilda, sospecha, no sospecha, calla.

El planteamiento de la solidaridad lo encontramos en este parlamento de

> FERNANDA: «¿Ha sabido callar porque ha temido ofender su virtud, o ha temido que esa virtud sucumbiera, porque su cariño es adoración, y más la quiere por imposible? Entonces pensará siempre en ella, estará ella siempre entre nosotros... ¿por qué estoy celosa... celosa hasta el odio? ¡Se querrán siempre!... ¡Siempre!...»

En primer lugar encontramos la noción de «imposible»; imposible es el amor de Hernán por Casilda. Pero para Benavente esta imposibilidad no tiene auténtica fuerza teatral. Lo que puede contener la clave del argumento, según Benavente, es el silencio que sobre su enamoramiento guarda Hernán. Lo interesante es la intimidad, lo subjetivo y sus razones. Todo lo objetivo, los valores impersonales son deliberadamente rechazados en este teatro, que va resultando un poco mezquino, hasta ideológicamente.

En segundo lugar, es la imposibilidad de este

amor, la única razón que justifica a Hernán como personaje. De nuevo encontramos la soberanía tiránica de la intimidad. La intimidad como única norma.

Vamos a copiar las frases de Casilda que definen la solidaridad:

> CASILDA: «Temí que hablara, y ahora no sé qué pensar de ese silencio. Al aceptar otro cariño, ¿fué por olvidar o fué porque ese cariño es lo único que puede acercarnos por el mismo deber cumplido? ¿Cree tanto en mi virtud que sólo desea olvidarme, o esperar siempre sin olvidar?... ¡Olvidar!... Yo no quisiera que faltara nunca en mi vida la adoración de ese silencio, al que van, sin querer, todos mis pensamientos, como una oración sin palabras».

En primer lugar, la duda de la coquetería: Casilda deshoja la margarita: ¿sí?, ¿no?, se pregunta. Y tras cada pétalo, Benavente hace que arranque una posibilidad de grandeza moral; tras cada pétalo que cae de las manos temblorosas de Casilda, el personaje va tornándose enteco y adusto, porque acepta el deber de fidelidad a su marido por el deber mismo, sin que la compensación de saberse amada indebidamente pueda ser savia que le dé vigor espiritual.

En segundo lugar, la solidaridad es una especie de contentamiento mutuo, sin pulso ni fibra: «acercarnos por el mismo deber cumplido». Aquí el adulterio tendría más fuerza trágica que esta situación amoral de «flirt» benaventino. Pero Benavente es un autor muy moral.

En tercer lugar, el ensimismamiento, la religación con la propia intimidad como lo único donde puede brotar la justificación de nuestra vida: «yo no quisiera que faltara nunca en mi vida...» Y la doble vida inconfesada, sin contrición: la peor de las infidelidades: «al que van, sin querer, todos mis pensamientos como una oración sin palabras».

Y por último, la ausencia completa de toda participación de la voluntad: «sin querer»; no es que no exista, es que no hay necesidad de ponerla en juego para escoger lo mejor, porque el único bien al que el hombre puede aspirar es su propio bien.

Este demonio no fué nunca ángel. Y más que satánico es epicúreo: el más triste destino de la soberbia. Después de leer a Benavente es posible que Satán se arrepintiera de su rebelión, por creerla inmotivada.

3. Las fuerzas vivas

Hay otro modo de luchar, porque en esta vida hay que luchar siempre. Contra el egoísmo, teniendo por guía la propia conciencia: *La comida de las fieras*. O luchar como quien navega por sobre el mar de los egoísmos. Si esta lucha va a ser tema de una historia teatral, su protagonista no puede ser otro que un antiguo forzado a galeras, cuyo nombre es Crispín. Y su biografía podría llevar como título *Los intereses creados.*

Si contra los otros es la conciencia, la intimidad, la fuente originaria de conducta victoriosa, ahora es también la intimidad lo único que se salva del festín del egoísmo. Así lo dice Hipólito, protagonista de *La comida de las fieras:*

> HIPÓLITO: «Pero nosotros les perdonamos. No contaban ellos con que habíamos salvado de la ruina nuestra conciencia».

Ya oímos decir a la protagonista de *Más fuerte que el amor* que, sin la compasión, la vida sería una lucha de fieras. Benavente pensaba, sin duda, en la obra que ahora comentamos, escrita algunos años antes, en 1898. En ella, la vida se nos presenta como un conjunto de fuerzas vivas, dominadas por una imperante; cuando ésta falla, todas las otras se desatan y vienen a devorar al domador. Bien; no podrá negar Benavente que esta visión de conjunto de la vida, es menos conjunto de lo que pudiera parecer. Supone que hay dos grandes grupos en choque: todo lo dominado —plural, diverso, múltiple— y lo que domina por algún tiempo —singular, único—: el domador devorado por las fieras.

> TOMILLARES: «Pero será culpa suya, y la pagarán cara. ¡He visto tantos casos! La sociedad humana es democrática por naturaleza, tiende a

la igualdad de continuo, y sólo a duras penas tolera que nadie sobresalga de la común medianía; para conseguirlo es preciso una fuerza; poder, talento, hermosura, riqueza; alrededor de ella, atemorizados, más que respetuosos, se revuelven los hombres como fieras mal domadas; pero, al fin, el domador cuida de alimentarlas bien, y el poder ofrece destinos, la riqueza convites, el talento sus obras, y las fieras parecen amansadas; hasta que un día falta la fuerza, decae el talento, envejece la hermosura, se derrumba el poder, desaparece el dinero..., y aquel día ¡oh! ¡ya se sabe, la comida más sabrosa de las fieras es el domador!»

Lo que domina es de valor positivo, bueno en sí; lo dominado, amorfo, irracional, gregario. Tengamos en cuenta la primera frase del parlamento que cito: «Pero será la culpa suya»: es decir, que no debe manifestarse lo positivo, porque no reporta ninguna utilidad, antes bien, lo único que se consigue con ello es excitar la furia de las fieras, que siempre resultan vencedoras. Bien, la única conclusión debe de ser ésta: la hermosura, el talento, la riqueza y todas las cualidades morales positivas —que Benavente no cita— sólo tienen virtualidad y rigor dentro de los límites de nuestra intimidad. Si lo dudamos, escuchemos a la protagonista:

VICTORIA: «¡Hipólito! ¿Cómo has de creerlo? ¡Si lo que antes era indiferencia o fastidio es ahora un goce más de la vida! ¡Nuestras fiestas! ¡La

> gente risueña a nuestro alrededor!... Alegría que ni era suya ni era nuestra; que venía de fuera; del dinero gastado a manos llenas; de las luces, de las flores, del banquete espléndido...»

Toda la vida anterior, con sus matices, venía alentada de lo exterior, de la manifestación de la generosidad de los protagonistas; «venía de fuera». Ahora tiene que residir en la intimidad «salvada de la ruina».

En *La comida de las fieras* la intimidad es el último baluarte que se salva de toda zozobra de la vida. En *Los intereses creados,* y su continuación, *La ciudad alegre y confiada,* vamos a ver cómo de esa lucha de fieras que es la vida benaventina, siempre hay algo que «es verdad», algo que no es farsa: el amor:

> SILVIA: «... desciende a veces del cielo al corazón un hilo sutil, como tejido con luz de sol y con luz de luna: el hilo del amor, que a los humanos, como a estos muñecos que semejan humanos, les hace parecer divinos... y nos dice que no todo es farsa en la farsa, que hay algo divino en nuestra vida que es verdad y es eterno, y no puede acabar cuando la farsa acaba».

El amor vence sobre todo interés, porque es desinteresado, pero para que triunfe el amor de Leonardo y Silvia, es necesario que Crispín cree un mundo de intereses, que sean la salvaguardia de ese amor, y que más tarde sea el escabel del triunfo de Crispín, el Magnífico de una ciudad equivocada sobre su felicidad, que era deleznable por estar fundada sobre los intereses creados.

Antes de entrar de lleno en el análisis, esta pregunta es oportuna: ¿es todo interés en la vida? Benavente, en la mejor farsa escrita en castellano, nos presenta un solo aspecto de la vida, y nos lo presenta como una visión integral.

George Farquhar, autor de la Restauración, escribió *The beaux stratagem,* obra que considero fuente de *Los intereses creados.* Esta y *La ciudad alegre y confiada* —donde hay más intención docente— constituyen una continuidad conseguida por una misma y única significación de Crispín, pícaro en una y otra, Magnífico de la ciudad imaginada, triunfador sobre el egoísmo, personalizado por Pantalón y Polichinela.

En primer lugar, una advertencia que conviene a las dos obras. Es respecto al nombre de los personajes. En la primera, Crispín y Leandro son los únicos nombres de personas, juntamente con Silvia, tan distinta de aquella otra protagonista de *La gata de angora;* en *La ciudad alegre y confiada* tan sólo Julia, Aurelio y Florencio.

Anotemos los nombres que tienen en sí mismos una significación y sentido universales: Polichinela, Arlequín, Colombina y Sirena; y los nombres genéricos que hacen referencia al papel que en la obra desempeñan: Pantalón, Capitán, Hostelero, Doctor, Secretario, Girasol.

A propósito no hemos incluído ni al Desterrado ni a Publio entre estos nombres. Porque éstos tienen una significación temática y estilística, respectivamente, más profunda, que los pone a la misma altura de aquellos cuya significación es de validez universal. El Desterrado es el tipo, el nombre —puesto que, estilísticamente, los genéricos adquieren valor de nombre propio por su fuerza personalizadora— que lleva consigo una significación vivida escénicamente: la imagen personalizada de la política de los tiranos, porque como tirano está pintado el Crispín, Magnífico. Publio, con su sabor romano, con su papel de demagogo arrivista, de tornadiza actitud y posición política, no puede ser llamado de otro modo.

No creo necesario insistir en la aclaración estilística de los nombres como Polichinela y Arlequín; éste es tan fiel a la tradición, que mantiene amores con Colombina. Sirena es, estilísticamente, el más valiente y hasta el más pictórico: la tercera escurridiza; sus razones nostálgicas de antiguos amores recuerda más a la Celestina de *El Caballero de Olmedo* que al personaje de la Tragicomedia.

Es mucho mayor la importancia estilística de los nombres genéricos. Forman el tapiz de las clases y profesiones sociales; todas han de ser dominadas por la astucia, mejor, por el ingenio de Crispín. Girasol es un nombre metafórico: danza en torno a la luz que ilumina. Ahí queda el juicio del Magnífico cuando dice que es la única que cumple su papel auténtico en la sociedad confiada y alegre de nuestra ciudad. Son sus danzas, su nombre, símbolo de esa confianza dormilona y esa alegría inconsciente.

Por último, también en Lauro hay una significación estilística en ese juego de su significación gramaticalizada que su nombre propio posee, y en la significación poética que adquiere cumplido su destino heroico y leal. Lauro, héroe, es el lauro del alma despierta de la ciudad vencida. Por eso el Desterrado, su padre, arrebatando la bandera de la ciudad de manos de Publio, la clava en su corazón muerto.

Comienza la farsa.

Crispín y Leandro llegan a la ciudad. Importa su origen. Crispín lo tiene; Leandro, no; pero algo nos dice de sí mismo que, si no su origen, sí nos aclara limpiamente su condición espiritual, su estado de ánimo.

> LEANDRO: «... Y bien quisiera detenerme aquí algún tiempo, que ya me cansa tanto correr tierras».
>
> CRISPÍN: «A mí, no, que es condición de los naturales, como yo, del libre reino de Picardía, no hacer asiento en parte alguna, si no es forzado y en galeras, que es duro asiento».

Crispín tiene un origen concreto. Leandro, no;

pero nos dice de sí mismo que está cansado de recorrer tierras sin tino; su patria puede ser cualquiera de esas tierras, o todas a la vez: su patria es universal. Universal también la de Crispín, porque no tiene ubicación física, patria universalmente moral; por eso no se arredra ante la lucha posible con los hombres de la ciudad que les acoge.

¿Por qué caminan juntos; por qué juntos van, han ido por todos los caminos, sin que hagan referencia alguna al azaroso encuentro que promete venturas y que lleva desventuras, que siempre hay en toda vida de pícaro? Porque Crispín tanto monta monta tanto como Leandro.

> CRISPÍN: «... Mi desvergüenza le permite a él mostrarse vergonzoso. Duras necesidades de la vida pueden obligar al más noble caballero a empleos de rufián, como a la más noble dama a bajos oficios, y esta mezcla de ruindad y nobleza en un mismo sujeto desluce con el mundo. Habilidad es mostrar separado en dos sujetos lo que suele andar junto en uno solo. Mi señor y yo, con ser uno mismo, somos cada uno una parte del otro. ¡Si así fuera siempre! Todos llevamos en nosotros un gran señor de altivos pensamientos, capaz de todo lo grande y de todo lo bello... Y a su lado, el servidor humilde, el de las ruines obras, el que ha de emplearse en las bajas acciones a que obliga la vida... Todo el arte está en separarlos de tal modo, que cuando caemos en alguna bajeza podamos decir siempre: no fué mía, no fuí yo, fué mi criado. En la mayor miseria de nuestra vida siem

pre hay algo en nosotros que quiere sentirse superior a nosotros mismos. Nos despreciaríamos demasiado si no creyésemos valer más que nuestra vida... Ya sabéis quién es mi señor: el de los altivos pensamientos, el de los bellos sueños. Ya sabéis quién soy yo: el de los ruines empleos, el que siempre, muy bajo, rastrea y socava entre toda mentira y toda indignidad y toda miseria. Sólo hay algo en mí que me redime y me eleva a mis propios ojos; esta lealtad de mi servidumbre, esta lealtad que se humilla y se arrastra para que otro pueda volar y pueda ser siempre el señor de los altivos pensamientos, el de los bellos sueños».

Este largo, pero sabrosísimo parlamento de Crispín no sólo contiene las razones y modo de unión entre las dos personas, sino también la fundamentación poética de su desdoblamiento: «Habilidad es mostrar separado en dos sujetos lo que suele andar junto en uno solo»; «todo el arte está en separarlos de tal modo...». Hasta aquí la técnica creadora, no brotada inconscientemente, sino como producto de la reflexión: «lo que suele andar junto en uno solo». De otro lado, la idea temática de esta combinación de rufián y caballerosidad, dentro de la línea más humana, más afín con la experiencia, más profundamente filosófica: «*Sólo* hay algo en mí que me redime y me eleva a mis propios ojos, esta lealtad de mi servidumbre».

Quisiera reparar en el acerbo de términos empleados en el parlamento, con tan gran exactitud y riqueza poética utilizados, que raramente podrá encontrarse un período escrito actualmente que resista una comparación estilística.

«Necesidades de la vida», como causa inmediata de desdoblamiento que va a llevar a los personajes al ejercicio de la picardía, a luchar en propia defensa, con el ingenio picaresco por única arma. «Empleos de rufián», «bajos oficios», dos medios, mejor: el campo de abastimento para esa lucha, que Crispín presiente en la escena primera, contra los hombres de la ciudad a la que llegaron.

Estas tres expresiones sitúan la obra benaventina en la línea de la tradición y continuidad picaresca.

Unidos hemos visto llegar a Crispín y Leandro; unidos les sabemos por la esencia de sus almas farandulescas; conocemos, reconocemos la voluntad creadora, que por separado las lanzó a caminar los breves senderos de sus vidas. Ahora, necesitamos penetrar en la índole de esa unión; conocer la razón de su desunión aparente. Y sólo aparente, porque unidas quedarán cuando mueran en la escena. La voluntad poética que así las creó quiso mezclarlas, no unirlas: «esta mezcla de ruindad y nobleza».

Pero lo más interesante es su desunión. Mejor, el modo de oposición por el que se nos muestran desunidas. «Vuela tú ahora; yo sigo arrastrándome», dice Crispín. Es el mismo Benavente el que nos los presenta así, siendo uno la sombra del otro; siendo

Leandro «el de los altivos pensamientos», el que, a la hora del amor, arrastra consigo tras de sí a Crispín: «Crispín los sigue sin ser vistos por ellos». Todavía otra frase de Crispín: «Aún quiere volar... Es su región, las alturas... Yo, a la mía: la tierra...» Y más:

> CRISPÍN: «El que fué mi señor ha muerto. ¿No lo sabíais? Con él murió Crispín; sólo queda el Magnífico, una sombra vestida de un ropaje señorial...»

Se han separado las vidas aparentes, los espíritus que encarnaban, el espíritu capaz de todo lo bueno y el espíritu capaz de todas las ruindades, se han unido. ¿No es esto lo que significan las palabras transcritas? ¿No es esto cuanto hemos dicho de la dualidad de los dos personajes inmortales? Son éstas, palabras que están insertas al final de *La ciudad alegre y confiada.*

Ahora Leandro, por su heroísmo, defendiendo la ciudad que él personalizaba, requebrando a Girasol, atrae más nuestra atención; nos interesa su muerte, porque acaso en ella encontremos la mayor razón de su vida, que a veces se nos ha podido antojar o parecer como ensombrecida por el brillo y la actividad sin reposo del ingenio de Crispín. ¿Ha sido la vida teatral y temática de Leandro una nota suave de discanto en el concendo sonoro e individualista que acompaña a Crispín? No; de él dice

> LAURO: «¡Feliz Leandro! Envidiable suerte la suya, hasta en la muerte. Toda su vida fué como un torbellino de acción que no dejó lugar a la tristeza del pensamiento. Vivió de la vida más que de sí mismo. Murió al empezar el combate en la exaltación de entusiasmo que aleja el temor a la muerte y no deja percibir la inutilidad del sacrificio».

Leandro y Crispín juntos llegaron a la ciudad imaginaria, que ha de ensalzar la heroicidad de aquél, que ha de ser el asesino de éste. Triste sino sin gloria el de Crispín: morir a las manos de la ciudad vencida por su ingenio, por la picardía de su ruindad. Juntos luchan, juntos vencen, la muerte les separa; por dar a uno la gloria del heroísmo y al otro la mortal traición de la misma fuerza que fué su mejor aliada, el egoísmo de los ciudadanos.

¿Por qué y cómo lucharon? Luchan por «llegar a buen puerto, como llegamos tantas veces remando». «Buen puerto» y «remando» me hacen recordar la portada de la edición príncipe de *La pícara Justina*. No van en busca de fortuna, van en busca de la Fortuna, cuyo soplo hace llegar a buen puerto la embarcación de Justina. Con otros medios que Polichinela, que a fuerza de crímenes, ha olvidado su condición pasada de galeote. «No con tanta violencia como tú —dice Crispín a Polichinela—, porque los tiempos son otros». Ha pasado el viento de la desventura, sutil como daga; por eso no extrañan estas razones, que escucha Leandro: «Con más picardía y menos torpeza, en vez de remar en ellas pude haber llegado a mandarlas».

Hay una voluntad, una necesidad casi, de vencer a toda costa sobre los demás, creando intereses a fuerza de ingenio. «La poesía y las armas son nuestras... ¡Adelante!». Luego Colombina, ganada por vanidad; por dinero, la tercería ambiciosa de doña Sirena. El mismo amor de Silvia es escalón, mejor: escabel del trono triunfal del ingenio.

El ingenio en triunfo sabe, por último, que sólo los enemigos leales serán capaces de defender la verdad de una política: el Desterrado vuelve a la ciudad, perdonado por el Magnífico, que siente el acecho de los mismos egoísmos que él despertara para triunfar.

> CRISPÍN: «... Crispín por Crispín, me prefiero a mí mismo. Yo soy más grande en mis ambiciones. Ambicioné riquezas, y tuve cuantás pude ambicionar; ambicioné el poder, el señorío de la ciudad, y nadie pudo disputármelos... Los medios fueron torpes, me serví de vosotros, y tuve que dejar que de mí os sirvierais. Pero mi ambición no se detiene tan bajo como la vuestra. Ahora ambiciono la grandeza de la ciudad... A vosotros, no he de ser yo, ha de ser la ciudad, el alma de la ciudad, que ha de despertarse, la que dispondrá de vosotros, de mí también, que hasta el fin hemos de estar unidos, como cómplices de un mismo crimen. Pero yo no he cegado mi en-

> tendimiento ni mi conciencia; os llevo esa ventaja; sé lo que soy y sé lo que merezco...»

Crispín muere a manos de su ruindad.

Leandro, en los brazos de su más altivo pensamiento.

LA INUTIL REBELION DEL PERSONAJE

Hasta ahora la intimidad limitaba al personaje, porque ceñía todas sus posibilidades. La intimidad era fuente de norma ética, conductora de la vida práctica; era fundamento de la individualidad, razón de la vida, la vida misma. Y al mismo tiempo, era la razón de la confianza que el personaje tenía en sí mismo, su fe en sí mismo.

Ahora vamos a dar el último paso acompañados del personaje. Conocemos cuál es su fuerza, cuáles son sus posibilidades. Pero nos hace falta conocer una más: aquella en la que la intimidad es la vía propia y única por la que el personaje consigue llegar a la perfección que la conciencia íntima le propone como posible y buena.

Este último trozo de camino es de revueltas y rebeliones. El Premio Nóbel español va a manifestar su desengaño ante todo un orden moral que desdeña y desprecia, en el que no tiene fe. Ya ni siquiera confía en el amor: Leandro enamora a Silvia; después vuela tras la gracia de Girasol.

1. Deseo de lo posible

Para Benavente, el individuo, la persona, el personaje, no puede estar limitado, no puede desarrollarse limitadamente, porque tiene la fuerza auténtica de su intimidad, que le impone la rebeldía ante toda norma objetiva.

Benavente siempre se cuida de situar a sus personajes enfrentados, con un orden preestablecido. Y siempre los protagonistas —insisto una vez más— representan su papel a través de esa situación o actitud antagónica. Sin ella no serían comprensibles para nosotros, no tendrían vida, no alentarían ni escénicamente siquiera.

Benavente siempre se cuida de dejar las manos libres a sus personajes para que sean ellos mismos, con el único instrumento de su fe en la propia intimidad, quienes cincelen la propia vida y la encaminen hacia la cumplida manifestación de la conciencia, que es lo único que les importa.

Ya he citado a la protagonista de *El hombrecito* como ejemplo del valor ético de la conciencia en Benavente, en su actitud ante el recíproco amor entre ella —Nené— y Enrique.

Todo se opone a ese amor: el ambiente social, el matrimonio de Enrique. Pero Benavente no sólo hace posible ese amor imposible, sino que nos le presenta como la forma amorosa ejemplar frente al matrimonio de Carlos y Pepita:

> NENÉ: *(A su hermano Carlos.)* «... Y te casas sin cariño, engañando a una mujer sin experiencia de la vida, que no puede dudar de tu lealtad porque no puede comprender que nada te obligue a la mentira, como yo no puedo comprenderlo...»

Es decir, Nené no comprende que pueda haber engaño entre dos enamorados, pero no repudiará romper la unión matrimonial de Enrique, cediendo a su enamoramiento; Benavente pone un especial cuidado en entregarnos el matrimonio de Enrique como desunido e imposible; pero esta situación anormal no anula la existencia del vínculo sacramental. Benavente, para crear sus farsas, prescinde de todo valor objetivo.

Así, pues, si en los argumentos del teatro de Jacinto Benavente los personajes no tienen en cuenta la gama de valores extrasubjetivos, será porque su autor les otorga una fuerza capaz de suplirla y anularla. Esta fuerza es la intimidad en rebelión, la conciencia rebelde.

Esta conclusión es inesperada en una obra literaria —toda una vida— famosa. Oigamos a

> NENÉ: «... Que no te vean. Es nuestro primer engaño... No será el último... La mentira para todos... la verdad sólo nuestra... Toda la vida para querernos... Hasta mañana, Enrique...»

«La verdad sólo nuestra»: donde está la verdad está el bien; luego el bien es seguir los dictados de la intimidad, que siempre nos lleva hacia el bien personal: «no renunciar a nuestra felicidad».

Bien es cierto que Benavente sabe, y así se lo hace decir a la protagonista, que el adulterio Nené-Enrique —formalmente idéntico al de Carlos con su amante, y que Nené repudiaba—, no es el deber: «el deber es que no debemos querernos»; pero aun aceptando el deber, la protagonista declara su firme decisión de consagrarse a ese cariño, alimentándolo con su recuerdo: «viviré resignada para su recuerdo».

La aceptación del deber en Benavente es sólo una renuncia al mal material, a la consumación del adulterio, pero no la renuncia absoluta, porque está mutilada la intimidad, ídolo y razón de la vida del teatro de Jacinto Benavente.

El culto a la intimidad egoísta es lo que justifica

la vida. Benavente observa que en la vida los hombres pasan unos junto a otros con una absoluta indiferencia, ignorantes de lo que encierran las vidas, riquezas o miserias, de los demás. Esta realidad no es toda la vida, ni su imagen fiel y perfecta, real. La individualidad no puede manifestarse ante la curiosidad pura o la indiferencia humillante. La intimidad sólo puede alcanzar su perfección cuando alguien excita en ella un sentido de la propia valía, de lo que es capaz:

> NENÉ: «... Para los que pasan por nuestra vida indiferentes o curiosos, no debemos mostrarnos nunca como somos, no debemos de dar entrada en nuestra vida a cualquiera...»

Y ya hemos visto de qué es capaz la intimidad: de crear un sistema de valores del que es la reina, el centro que irradia luz que ilumina la órbita tributaria de los satélites. El individuo, centro de la vida. El individuo triunfando de la vida, creando una vida individualista y egocéntrica que repudia la vigencia de todo valor objetivo.

Sigamos. Vamos a tratar de lo posible, en *Los ojos de los muertos.*

Benavente sigue mostrando su predilección por los temas adulterinos. En verdad, pueden ser material propicio para demostrar la doctrina individualista, que rompe con toda la moral, que busca nuevos principios desdeñando los anteriores y tradicionales. Con todo ello, Benavente hace regla general lo que es excepción, busca en lo deforme y singular, en lo que siempre ha roto con toda norma, la norma única y valedera.

Juana, protagonista de *Los ojos de los muertos,* nos es entregada como adúltera. Y ese adulterio encubre un doble engaño para con su hermana Isabel y para con su propio marido. Su amante, Hipólito, marido de Isabel, se ha suicidado. Isabel quiere saber a toda costa la razón que tuviera para suicidarse; desde luego no puede pensar la verdadera razón que Juana oculta.

¿Por qué oculta su adulterio? Por razones sentimentales: no causar mayores males. El mal estaba hecho y, sin embargo, el personaje benaventino no quiere aceptar las últimas consecuencias de su falta. Teme que su culpabilidad pueda algún día conocerse; teme que Carlos, el amigo íntimo de Hipólito, a quien éste reveló el motivo de su suicidio, llegue a casarse con Isabel, porque entonces dirá a ésta toda la verdad.

Juana tiene miedo a la verdad; ni siquiera piensa que las personas heridas por su adulterio tienen cierto derecho sobre esa verdad, que de algún modo y en manera directa participan de la falta de Juana e Hipólito. Si ésta se niega a declararlo, es porque considera que su falta le pertenece exclusivamente. Es más, si poseyera un sentido de falta, de pecado, sentiría cómo todo pecado liga al pecador con los ofendidos, con los lesionados por el abuso de poder que es el adulterio, deseo de poseer lo que no es propio.

Pero Benavente prescinde de la más elemental noción de falta, porque no hay nunca falta, hay sólo expansión de la intimidad, del yo en un afán de dominio de lo posible.

> JUANA: «Mi corazón de mujer no se engaña... Lo presiento, lo veo..., se amarán ustedes... y entonces será otro el juramento y hablará usted, hablará usted... Y ese día... ¡Usted piense lo que será de todos ese día!... ¡Silencio!»

«Lo que será de todos ese día»; que el adulterio habrá dejado de tener una justificación en la intimidad, que los ofendidos por él reclamarán sus derechos violentados, que ya no será lo posible conseguido, rompiendo ese respeto por lo ajeno.

Benavente no da a la verdad un valor objetivo y una vigencia y vigor impersonales, sino que busca las consecuencias sentimentales e individualistas que para Isabel y Gabriel, marido de Juana, tendrá. No pasa de la justificación intimista del adulterio a la valoración objetiva de la falta, sino que crea un mundo de valores particulares que afectará personalmente a Isabel y Gabriel, por separado, individualmente:

> JUANA: «... ¡La verdad también para él más implacable que para ti!... ¡Para ti es la muerte de

lo pasado, pero es también otro amor, otra vida!...
¡Para él es la muerte de todo!...»

Benavente nunca concibe a sus personajes sometidos a los valores universales, sino que, mutilando a éstos, los constriñe a la intimidad, que él concibe como un caleidoscopio mudable en color y forma y expresión, de infinitas posibilidades, ante una misma verdad —el adulterio temático de *Los ojos de los muertos*—; cada individuo —«Para ti», «para él»— refleja de modo distinto y posible una verdad. Benavente no cree que los hombres, las personas —no los individuos— puedan sentirse ligados, unidos por una misma verdad objetiva, aunque temporal, como Isabel y Gabriel ante el adulterio de su marido y su mujer, respectivamente. Para uno supone la destrucción de su matrimonio; para la otra, la posibilidad de casarse de nuevo con Carlos. La falta, el pecado, con su trascendencia impersonal, no existe, sólo es lo posible conseguido.

Si a la luz del análisis objetivo la ideología de Jacinto Benavente repugna a la conciencia recta y la visión trascendente de la vida, ¿cómo ha podido ser el autor admirado por el público durante tan largo período de tiempo? Y sólo he encontrado una razón: porque oculta y secretamente, en su temática, favorece el egoísmo y la rebelión, porque favorece la autosuficiencia, porque razona la grandeza ética de la vida como fin en sí misma.

Comenzamos nuestra crítica de *La Infanzona* comentando las palabras de «¿autocrítica? No. Algunas consideraciones pertinentes o impertinentes en torno a *La Infanzona*».

Ciertamente, no es autocrítica, sino justificación del tema que va a abordar. Y se justifica resguardándose tras otra opinión. No. Freud, no; es demasiado libidinoso; pero Adler, sí es «más espiritual», yo diría que más pagano.

Bien. Benavente acepta la doctrina de Adler; las acciones humanas tienen como determinante la voluntad de dominio. Benavente está por encima de estas doctrinas y concede: «Líbido también, aunque más espiritualizada». Pero líbido. Además, repugna al sentido común que las acciones humanas tengan como determinante la voluntad de dominio. Todas, en absoluto; siempre, tampoco; en todos los hombres, menos. Aquí tenemos una verdad particular concebida y aceptada como universal.

Está fuera de razón pensar que Hamlet pudo decir «querer o no querer». Si lo pudo, no quiso, porque a Hamlet lo que le angustiaba era «ser o no ser», que es algo distinto a «querer o no querer».

La vida no sólo procede de un deseo, sino que ella misma es un deseo, no deseo del mal, sino deseo de Bien, que muchas veces se confunde con el Mal; el mal se toma por bien.

La vida no es sólo dominio, puede ser también adoración, religación con Dios, temor filial. Tampoco es «dominarnos a nosotros mismos», sin más fin que este dominio, y la norma para realizarlo un «imperativo de la voluntad refrenada por la inteligencia». Benavente, al plantear el dilema «dominar o dominarnos nosotros mismos», no dice con qué fin. Sin embargo, se cuida de dar la norma: «imperativo de la voluntad». Imperativo categóricamente formulado.

Solamente cuando se idolatra la intimidad como algo perfecto en sí mismo, puede concebirse que al encuentro de dos hombres pueda suceder una invasión. Los hombres perfectos, al modo de Benavente, ultimados en sí mismos, tienen que oponerse a todo encuentro; tienen que aislarse en sí mismos para no sufrir una invasión, para no invadir la tierra de los otros por esa ansia de dominio que nos dicen determina toda acción humana.

He aquí el punto al que hemos llegado después de comentar esas palabras llenas de deseo mimético y afán de justificación que Benavente escribió al principio de esa triste obra llamada *La Infanzona*.

En ella se demuestran las consecuencias de una voluntad de dominio: un incesto. Del error fundamental tiene que nacer el error temático con toda la fuerza plástica de lo teatral.

Pero Isabel, que sufre el incesto, según toda la doctrina de la intimidad de Benavente, tiene que defenderse de semejante dominio. ¿Cómo? Ella o Benavente nos lo dice:

> ISABEL: «Me importaba... me importaba huir de ti... Me importaba entregarme a él... para que él fuera el padre de mi hijo, y cuando todos lo supieran, nadie, nadie, ni tú mismo... ¿entiendes?... ni tú mismo pudieras sospechar nunca de quién otro pudiera ser ese hijo».

Sometida a un dominio, pierde el dominio de su intimidad avasallada. Ha de recobrarlo. De un modo benaventino: entregando voluntariamente lo que fué violentamente dominado.

¿Por qué camino lleva, empuja Benavente a sus personajes? Tras la máscara sonriente que muestra la falsa bondad de la grandeza de la vida egocéntrica, va escondiéndose el peligro de que las acciones, alcanzando su justificación en una fuerza instintiva y ciega —«la vida es, tal vez, el disparo de una fuerza ciega»—, es decir, siendo irresponsable, dan lugar a un nuevo orden egolátricamente amoral, cuya norma de conducta sea un repudio de lo que no produzca un bienestar psíquico natural.

2. LO POSIBLE EN SÍ MISMO

Cuando la intimidad se propone un logro, es en él donde puede manifestarse, y le basta con conseguirlo, porque su manifestación es lo que le da razón de ser irreductiblemente tal como se había propuesto. Si la intimidad no consigue llegar a manifestarse, su existencia, su vida, ya no tiene objeto; el personaje queda ligado a sí mismo, arrastra el peso, el lastre de lo posible que no consiguió.

El primer caso lo expone Benavente en *Vidas cruzadas*. El segundo, en *Una señora*. Las dos obras se enfrentan con una posibilidad íntima que conforta la esperanza de vivir; las protagonistas de ambas obras justifican su vida en un amor: Elisa, *Una señora,* ve frustrado el afán íntimo; Eugenia, *cruza* su vida y, con ello, alcanza ante sí misma su forma definitiva, la cumbre que señala el punto de mayor dominio de la intimidad sobre sí misma.

«...Será la muerte o seguirá la vida, pero será otra vida, porque sin tu cariño no será mi vida. ¡Vete! ¡Vete!». Estas son las palabras de Elisa cuando su amante la abandona. Este abandono, prescindir del mundo íntimo en el que había fundado su vida, parte su existencia en dos: la auténtica vida queda atrás, en el recuerdo; la falsa, la nueva vida se ofrece no con la posibilidad de un nuevo aliciente, sino con la imposibilidad de lo que fué posible.

> ELISA: «¡Le quiero! ¡Le quiero! Esta es la única verdad. ¡Tan verdad como su traición, como su engaño!»

Después del abandono sigue siendo Elisa una intimidad que puede lograr lo que ha perdido, lo que logró durante algún tiempo. Y esta posibilidad negativa, callejón sin salida, es todo el sostén de su ánimo.

No es que Elisa viva del recuerdo, no. Sabe que ese cariño de amante ya no es posible. Sabe que del cariño ha de pasar al odio; así es como Benavente expone la doble faceta de la intimidad, satisfecha con el propósito logrado, insatisfecha por la imposibilidad del afán íntimo.

> ELISA: «... El corazón se resiste al dolor. Se defiende contra él y tarda en convencerse de que el dolor es verdad... No es mi dolor pensar que todavía le quiero. Mi dolor es pensar cómo tendré que aborrecerle».

En realidad, hasta argumentalmente, Elisa no cambia su pasión por aborrecimiento, porque sus últimas palabras indican que pasa su vida creyendo posible su amor:

> ELISA: «El dinero, no...; es mucho..., es demasiado. ¿Para qué lo quiero? Sólo el sobre, es su letra..., y dinero, dinero... nada más, nada más...»

Se trata tan sólo de matizar aquel «será otra vida», la vida rota, la vida de creer posible lo que es imposible, pero no moralmente, sino tan sólo porque uno de los amantes abandona al otro: una solución muy benaventina.

Cuando la intimidad no consigue su propósito,

no puede manifestarse, queda menguada, se nota a sí misma en falta.

> ELISA: «A nadie, a nadie. Todos los que me querían han muerto. Ayer estuve a visitarlos; no eran muchos: dos, dos amigos... ¡Pobres! ¡Qué sola me han dejado! Desde que se han ido no sé de mí. Me pongo a pensar y me parece que me cuento a mí misma la historia de otra mujer que no soy yo. Y casi no me importa. Yo creo que también me he muerto. No se muere de una vez; se muere uno a pedazos. Llega un día en que uno ya no es uno; lo que más importaba ya no importa, lo que más dolía ya no duele; se piensa de otra manera, se siente de otro modo... Cuando se siente y dice una: «¿Quién soy yo?», de veras que me veo andar por el mundo y no se me ocurre decir: «¿A dónde voy yo?» Digo siempre: «¿A dónde irá esa?»

La misma protagonista habla de sí en tercera persona. En el anterior parlamento podemos ver cómo Benavente va quitando a su personaje todas aquellas circunstancias —amigos, riquezas— que pudieran traerle recuerdos de la vida que fué posible para acabar imponiéndole el desdoblamiento, la indiferencia por su vida: «Me veo andar por el mundo y no se me ocurre decir ¿A dónde voy yo?» Digo siempre: «¿A dónde irá esa?»

Vidas cruzadas se opone a *Una señora*. Se opone porque Eugenia, su protagonista, consigue la meta que se propuso. Su meta era una esperanza: ser ante ella misma y ante los demás, de un modo que no comprenden, y esa misma incomprensión fortalece la estima que de sí misma consigue en el cumplimiento de su más íntima esperanza: ser poseída.

Eugenia, aun entregada, no pierde el dominio sobre sí misma, porque rechaza el matrimonio con Enrique para que éste no dude de la generosa entrega que recibió.

> EUGENIA: «... yo dejaría de creer en ti si dejaras de creer, en tu orgullo, que una Castrojeriz puede venderse a tu dinero sin hacerla tu esposa».

Sería indigno para ella entregarse por dinero, porque éste no es el fin de su entrega: el fin que persigue es la entrega misma.

Eugenia es un personaje que vive para entregarse carnalmente; éste es el objeto y sostén de una esperanza; la esperanza es lo que justifica la peregrinación de nuestra existencia. La entrega carnal es lo que justifica la existencia de Eugenia.

No se entrega por amor, en un momento de sin razón; se entrega porque ese, y no otro, es su destino.

> ENRIQUE: «Yo deseo».
> EUGENIA: «Yo espero».

Un deseo y una esperanza trazan las coordenadas psicológicas de los dos personajes. El de uno es recibir; el del otro, el de la protagonista, esperar el cumplimiento de su impulso vital.

Eugenia sólo se busca a sí misma, sólo busca asegurarse ante sí misma de la autenticidad de su esperanza, una esperanza —insisto— cuyo cumplimiento la lleva hacia sí, enfrentándola con los demás. Estos pudieran pensar que su entrega ha sido interesada por su situación económica; estas sospechas empañarían la gratuidad de la entrega, fin y cumplimiento vital de Eugenia.

Esta gratuidad es el equivalente en Benavente del acto gratuito de André Gide.

> EUGENIA: «... no hay palabras que me convenzan; cuanto más tardara en convencerme para acceder (al matrimonio) después, más pensaría usted que todo era mentira, y yo quiero que no pueda usted dudar nunca, que sepa usted siempre que le he querido con toda mi alma y que, por quererle tanto, antes que a dudar siempre, le condeno a la verdad».

Es la versión sentimentalizada del acto gratuito. Eugenia no persigue ningún fin objetivo que justifique su acción. Para que tenga humanidad, para que la doctrina amoral tenga aceptación, Benavente sabe envolverla en sutiles razones dialécticas que hablan al sentimentalismo de los espectadores y, empañando sus ojos emocionados, empañan también su inteligencia para poder comprender la amoralidad peligrosa que se oculta tras tanta aparente generosidad de esta mujer, que vende impunemente, y al poco precio de su propia estima, lo que de más alto precio tiene.

> EUGENIA: «... Como el orgullo puede llevar a la humillación; porque ese fué mi orgullo. Yo le quería, le quería con toda mi alma, y sabía que él no podía creer en mi cariño, y mi orgullo era que él creyera sin exigirle nada».

Razones sentimentales que no pueden ocultar la ideología real: la reducción de la vida al imperativo de un mecanismo ciego, sin otra norma que la obediencia a la materia. Partiendo de esta obediencia a la materia bruta, es lógico que Benavente prescinda por completo, pues no aparecen en ninguna obra, de los fines morales, trascendentales, libremente elegidos.

Ya lo dice en el prefacio de *La Infanzona:* «una fuerza ciega», sobre la que no cabe ninguna orientación moral. Benavente cree que concibe a sus personajes con pleno albedrío y, en realidad, sólo les concede la cualidad de los cuerpos muertos: caer infinitamente bajo el peso de su propia materia, la intimidad desligada del alma.

Intimidad fué la primera palabra escrita en estas páginas, y ahora, cuando la primera parte toca a su fin, la intimidad vuelve a primer plano. La intimidad de Eugenia, concretamente, cuya grandeza amoral fué el fin de su entrega:

> EUGENIA: «¿Me miras espantada?... Mi orgullo es que yo sola me comprendo, y mi orgullo mayor, porque no podré ocultar la verdad: que he pagado con la vergüenza de toda mi vida».

Ella sola se comprende; pero para comprenderse necesita aislarse en sí misma; ha necesitado cometer una acción que pudo hacerle perder el autodominio, pero para evitarlo estaba Benavente, pluma en mano: si su personaje, mujer, ha entregado lo mejor de la mujer, le queda la soberbia que justifica ante ella misma, y sólo ante ella misma, su acción.

Ahora comprenderemos, sin más explicaciones, porqué en 1922 fué concedido a Jacinto Benavente el Premio Nóbel.

Lo que ya no comprenderemos es el por qué del homenaje popular en 1924. Sólo hay una razón: que una sociedad decadente y su autor, son signo de una misma realidad: la insuficiencia práctica del cristiano, al quedar alejado, y aun extraño, de la vida ordinaria del hombre actual.

SEGUNDA PARTE

LA MISION TRUNCADA

COMO HABLA EL SENTIMIENTO

1. La emoción o «El nido ajeno»

Esta obra es la que sirve de punto de partida de aquellos momentos teatrales que en la obra de Benavente están fundados sobre el sentimiento como emoción.

Lo más importante del sentimiento en la obra príncipe de Jacinto Benavente, lo que fundamentalmentalmente importa, no es demostrar que existe ese sentimiento, ni tan siquiera encontrar la proporción en que participa en la obra, respecto de los otros elementos. Pero lo único que nos importa es demostrar que su participación es esencial, si es el sentimiento emocionado el sostén argumental, ideológico y técnico de la obra en cuestión; si es el único sostén.

Toda la obra es la gestación del sentimiento de Manuel hacia María. Dos puntos de vista precisamos para mejor comprender tal sentimiento. Un punto de vista será el de las circunstancias que coinciden y cooperan y facilitan la aparición del sentimiento secreto. Otro punto de vista es la intimidad de los personajes.

María nada sabe del amor de Manuel. Manuel no es consciente hasta el último momento. Los dos personajes son juguete en manos del conjunto de circunstancias que les acercan. Todo es obra de la vida, diríamos familiarmente. La soltería madura de Manuel, su cansancio; la vida reducida, sufrida de María, etc., circunstancias narrativas.

Pero una vez que este sentimiento toma realidad, se hace carne, ¿era su aparición, su mera aparición lo que el autor pretendía? O, por el contrario, en torno a ese sentimiento, ¿hay algo más que el mero relato de su nacimiento inesperado y su existencia secreta?

La irresponsabilidad de los personajes ante el sentimiento nacido, agudiza una característica sentimental humana muy interesante: la *interioridad* del sentimiento. Nada importa ya la razón. La razón, el mundo racional, si así se quiere decir, conforma el conjunto de circunstancias opuestas a la emoción de Manuel hacia María; la razón o lo racional es lo que se opone al sentido emocional de ese sentimiento. Por consecuencia, este sentimiento emotivo es producido, engendrado por un bien, inconscientemente ansiado, contra toda razón.

Nos encontramos con un *irracionalismo* en la misma medula de la emoción Manuel-María. Este sentimiento no es lógico, es incomprensible, y por eso secreto para los personajes que lo sufren.

Atendamos a otra circunstancia. ¿Qué ocurre con ese sentimiento emocional tan pronto como es conocido? La razón es insuficiente para explicarlo: tiene valor de norma el sentimiento. Vigencia práctica que sólo reside, que sólo puede residir en la intimidad.

¿Cuál es el *por qué* de ese sentimiento como norma? El enamoramiento de Manuel hacia la mujer de su hermano nace por dar a la vida retirada, recluída de María, un calor, alegría, que le faltan. Ese sentimiento es condicionado por un bien particular. No por un bien absoluto.

Fijémonos un poco más en este sentimentalismo. A través de èsa inadvertencia que acompaña la aparición del sentimiento, vemos la voluntad del poeta queriendo prender una luz en la zona oscura de nuestra naturaleza íntima. No sólo hay un enigma entrevisto: el sentimiento es el único valor posible para la incógnita de ese enigma.

El sentimiento emotivo no sólo es el resumen de todo el contenido ideológico de la obra. Es más: es el elemento unificador de todas las circunstancias de la acción; es la brida tensa que somete y reduce todas las posibilidades del argumento.

Con lo que el sentimiento se integra en el concepto de la vida, de lo humano que Benavente tiene. La razón de Manuel, no puede explicarse la reacción temerosa, encelada, de José Luis; la misma actuación respecto a María no es razonada, mejor, no se explica por su sentimiento hacia ella, porque éste es desconocido. Cuando el sentimiento es conocido, súbitamente es la causa de su alejamiento del «nido ajeno». El sentimiento se transforma en razón de la vida.

Razón de sí mismo; razón del sujeto, de su conducta; único modo de justificar comprensiblemente el cambio operado en la intimidad.

¿Cuál es la actitud humana de Manuel una vez lograda la conciencia de su sentimiento? De desconfianza en sí mismo al conocer el enigma que había en su intimidad; ahora ya no sabe a qué atenerse. Hay, pues, un triunfo de la intimidad y una impotencia de la mente.

Sólo se puede comprender la vida desde la intimidad. Tenemos, por lo tanto, entre las manos un nuevo hallazgo precioso: la necesidad de explicarse la vida desde nuestra intimidad de un modo no racional. El sentimiento es la forma de conocer que lleva a un irracionalismo, pero no a un extrarracionalismo como supondría alcanzar una visión de la vida desde la ladera del Señor. El sentimentalismo permanece irreligioso por girar en torno al hombre.

Irracionalismo hay en el diálogo de *Sin querer*. Ninguna justificación cabe al enamoramiento imprevisto y no deseado. Justificado queda el sentimiento por sí mismo; él es para sí su propia y única razón. Esa imprevisión, ese no querer el sentimiento que nace contra el propósito y la voluntad de los protagonistas fortalece, paradójicamente, su voluntad de enamoramiento.

Claramente se aprecia la función del sentimiento en *Alma triunfante*. Isabel será siempre el ejemplo vivo del dolor maternal. Su trastorno concreta el dolor de la madre que ha perdido a su hija; el dolor abstracto, mediante el trastorno mental, se transforma en acción del personaje protagonista: el amor materno, sin hija, no sabe qué amar. Pero amará a la hija de Andrés, salvando todas las barreras nacidas de la infidelidad de éste. Piénsese en el alma femenina y maternal de Isabel, desolada como madre y como mujer. Piénsese en la superación de esa crisis mediante la emoción renovada del sentimiento maternal; es una visión del enigma de nuestra naturaleza.

> ISABEL: «... huyo porque huye mi razón, porque no quiero odiar...»

Es decir, la razón motiva un sentimiento contrario al sentimiento que naturalmente brota: querer a la hija de Andrés. Una oposición evidente entre razón y sentimiento. Un irracionalismo más en la obra de Benavente. Un irracionalismo «culpable» que brota porque Isabel ve en la hija extraña «... el alma de nuestra hija que ha vuelto, como yo, para perdonar y para bendecir... Será mía también...» El irracionalismo es pues, norma primaria.

Emoción es el sentimiento de Nené hacia Enrique. Va hacia Enrique, se entrega a él porque tiene la necesidad imperiosa de convertir ese sentimiento en una verdad indudable, en una certeza imprescindible para la interioridad. ¿Hay irracionalismo? Sí, en la imposibilidad de ese amor por el matrimonio de él. Es el amarse a pesar de esa imposibilidad.

El mismo título *Por qué se ama,* tiene implícito el deseo de penetrar en el enigma del sentimiento emotivo. En la obra queda inexplicada la razón del sentimiento: irracionalismo.

Lecciones de buen amor y *El demonio fué antes ángel.* Razón: Clarita quiere solamente sacar de un apuro al jefe; la inconveniencia del sentimiento de Hernán hacia Casilda. Irracionalismo: la petición matrimonial por justificar una intimidad fortuita y ocasional; el querer Casilda a Hernán, contra toda razón, solamente porque aquél ha sabido respetarla «oficialmente».

2. El sentimiento como choque. «La Malquerida»

A lo largo de la acción se debate el destino de una persona. La acción va buscando el cumplimiento del destino de Acacia y, para conseguirlo, rompe con todas las circunstancias creadas por los hombres.

Al final de la obra sabemos que ha sido Esteban el fautor de todas las desdichas que pesan sobre Acacia. ¿Que significa ésta oposición de Esteban? ¿Es un hombre cegado por su enamoramiento? ¿La trama de la obra consiste, simplemente, en esta oposición y en la esperanza de que Acacia descubra su sentimiento, disfrazado de odio —semejanza de opuestos—, hacia Esteban? ¿Que significa, en verdad, la personalidad de Esteban?.

No; Esteban no es hombre que actue cegado por su enamoramiento; ni la trama consiste tan solo en que él y Acacia estén enamorados. La tragedia se desarrolla entre Raimunda y su hija. Esteban es una personificación de la fuerza del amor de Acacia, que rompe con la filiación. La tragedia, la fuerza trágica, es la oposición, la colisión entre estos dos sentimientos, filiación y amor en Acacia, y el de maternidad y amor, en Raimunda, como contrapunto severo y profundo, enigmático, de la tragedia habida en la interioridad de Acacia.

La realidad de la filiación, hace razonable a Acacia; ésta racionalidad es el único obstáculo para el amor de Acacia hacia Esteban. La lucha que se está librando en su interioridad, es entre dos sentimientos de signo opuesto, racional el uno, irracional, el otro. Mientras el sentimiento de filiación tiene razón de ser, el de enamoramiento tiene como único fundamento su sinrazón. Si Acacia dejara de razonar, brotaría el choque inmediatamente. Porque recuerda que es hija, de ahí la mayor importancia argumental de su enamoramiento.

> ACACIA: «Pues no se saldrá usted con la suya. Si usted quié salvar a ese hombre y callar too lo que aquí ha pasao, yo lo diré too a la justicia y a toos. Yo no tengo que mirar más que por mi honra. No por la de quien no la tiene, ni la ha tenío nunca, porque es un criminal».

La filiación de Acacia se deslíe hasta perder su fuerza, inmediatamente antes del momento final. Que Raimundo perdone a Esteban su amor hacia Acacia es abrir camino para que lo que Acacia no conoce todavía, se haga auténtica realidad para todos. La honra de Acacia está limpia mientras es la Acacia ignorante de su amor hacia Esteban. Emoción disfrazada de odio, el único sentimiento que reconoce ella y que es el que la personifica ante sus mismos ojos, y no puede entender el perdón de Raimunda. Ahora más que nunca es cuando Acacia tiene la necesidad de tener fe en sí misma, a través de un falso odio. Para ella, que Raimunda perdone a Esteban no tiene sentido; y Raimunda no perdona el crimen sino la verdad de la copla de *La Malquerida,* porque es mujer antes que madre.

El perdón de su madre crea ante Acacia un nuevo mundo de razón, un nuevo racionalismo. Racionalismo que oponiéndose al sentimiento auténtico de

Acacia, le exacerba, agudiza su crisis, facilita que se dé cuenta de que ama a Esteban.

Hay otros momentos en la obra de Benavente, en los que el irracionalismo de un sentimiento no manifestado se rebela contra un racionalismo manifiesto. En *Los ojos de los muertos*, Juana padece la presencia fantasmal de la muerte suicida de Hipólito, por la que se siente culpable, así como de la pesadumbre que ésta ocasiona a Isabel. Lo irracional es ocultar su intimidad con Hipólito, ignorada de todos, tan sólo conocida de Carlos.

Otro momento en el que el irracionalismo vence al racionalismo lo encontramos en *Más fuerte que el amor*. Su razón impulsa a Carmen a huir con Guillermo, abandonar a Carlos; lo irracional es su sentimiento compasivo, bruscamente manifestado, como en la obra anteriormente comentada es brusca la decisión de Juana de confesar su adulterio con Hipólito; lo irracional en Carmen es seguir junto al enfermo, rechazando la llamada de su corazón. Ningún otro motivo para actuar más que la fuerza del sentimiento. Y hubiera sido fácil para Benavente encontrar otras razones.

Lo poético consiste en que el sentimiento permanece *enigmáticamente* oculto. Su manifestación es la descarga poética trágica. En su ocultamiento coincide la técnica teatral con el fondo oscuro y desconocido de nuestro yo.

Así pues el teatro de Benavente propugna la insuficiencia de la mente natural, iluminada por la razón para conocer y solucionar el enigma de la vida. La aparición súbita del sentimiento, en cualquiera de sus formas, produce una luz que ilumina las ocultas facetas del personaje teatral. Así iluminado, su camino es seguro, decidido su paso; sabe lo que quiere, sabe, *conoce* a donde va y cuál es su porsiacaso de caminante.

De otro lado, la perfección que el personaje adquiere en el instante de la manifestación súbita de su sentimiento, le hace adquirir la certeza de que el sentimiento es valor que sustituye a la razón. Sólo a través de él es posible conocer el enigma reducido de nuestra intimidad y el enigma universal del orden de la vida.

Tiene un riesgo inherente en el que, ineludiblemente, se cae y en él se perece: transformar en absoluta la verdad particular que nos descubre.

El sentimiento, el humanismo sentimental, no salva del hombre viejo todo lo necesario para construir sobre estos restos el edificio sobrenatural, extrarracional, del hombre nuevo.

Cuando el sentimiento no realiza la función unitiva entre la voluntad y la inteligencia, los personajes, criaturas al fin y al cabo, nada más y nada menos, son unos muñecos sin alma que no quieren ni entienden. Con lo que el sentimiento de la incógnita humana es un valor frío, sin consistencia práctica, sin vigencia si no unifica nuestras dos potencias superiores. La voluntad acepta ese valor; la inteligencia la comprende como único posible. El sentimiento tiene razón de ser. Pero esta función unitiva no se da en Benavente.

En la obra *Por la herida,* la protagonista vive el benaventiano engaño matrimonial —base de tantas obras de nuestro Premio Nóbel, tan dado a pintar vidas irregulares—, con lo que prostituye su dignidad. El autor hace que se acuerde de su dignidad solamente cuando el marido comete la misma falta que puede imputársele a ella. Para defender su dignidad malvendida, no tiene inconveniente en mostrar las cartas, testimonio de su adulterio. Quiere su deshonra más íntima antes que su deshonra social. Esta obrilla es ejemplar para mostrar ese juego poco claro de sentimientos que caracteriza la obra benaventiana.

La mejor prueba de la participación menguada de la voluntad en *La Malquerida,* es la simbólica huida con Esteban. No hay ninguna otra norma de conducta para Acacia —la hay pero se rebela—, que su sentimiento, tanto tiempo contenido. Esta declaración de rebeldía, por seguir el dictado de su intimidad, es la mejor prueba del orgullo de todo sentimiento, cuando aceptamos en nuestra vida el sentimiento por el sentimiento mismo. «El corazón tiene razones que sólo el corazón conoce». Sin esta aceptación del enamoramiento hacia Esteban, y aceptado a todo trance, ¿sería posible el devenir de la acción tal como está construída? No. Esta, y no otra, es la significación del sentimiento: por él consigue consistencia la acción.

Benavente ha expuesto, poéticamente, la importancia del corazón en su comedia, tan fina como un cuento de hadas, *La princesa sin corazón*. Las hadas hacen el prodigio: la princesa tiene ya corazón, pero entonces sigue a la vida, sin que nada pueda detenerla. Cambia todo bruscamente de valor; nada importa a la princesa con corazón más que obedecer la llamada inapelable de la vida recién conocida, iluminada por el sentimiento. ¿No es esto lo que ha querido decir Benavente?

La voluntad, sustituída por el sentimiento, oculta toda trascendencia. Repitámoslo: lo particular se transforma en universal, de relativo en absoluto, y por este camino pensamos que la única perfección posible de alcanzar, la única comprensible por nuestra mente, es el sentimiento. Para Acacia, ¿no es ese enamoramiento por Esteban lo único posible?

Esta situación es idéntica a la que encontramos en *La princesa Bebé*, en la última escena: sólo importa lo que podemos alcanzar por nuestro sentimiento. No es otra la idea temática de esta obra. Lo que en *La Malquerida* es conclusión temática, en *La princesa Bebé* llega a la conclusión de que la felicidad es «ahora, mañana, unos días...» Esta noche sólo, ¿quién sabe? ¿Qué importa? ¿Esta limitación temporal de alcanzar la felicidad no es más brusca, no entraña un choque mayor aún que el que se da en Acacia?

Al entregarnos el autor esta crisis de sus personajes, como limitados en su perfección, crea una visión humanista de la vida. Y este humanismo sentimental no puede integrarlo en un sistema de valores trascendentes, sino que resume en él toda la trascendencia posible para el hombre.

En *La honra de los hombres,* Gunna ha sacrificado, ante su cuñado, su propia honra por salvar la tranquilidad del hogar de su hermana; confía su secreto a su prometido, pero cuando éste es insultado por Magnus, no sufre el insulto que Gunna aceptaría gustosa por cumplir su sacrificio, y se rebela contra éste.

Consecuencia: Gunna rompe sus relaciones con Toggi porque «no te ha bastado creer en mí»; a Gunna le basta su propia verdad frente a las sospechas de todos, frente a la misma cobardía de Toggi, incapaz de seguirla por el camino que ella escogió como el mejor.

En *El mal que nos hacen,* Valentina busca en el sentimiento de Federico la compensación del de Germán, incapaz de comprender todo su enamoramiento. Valentina sigue la fuerza centrífuga de su amor; todo lo demás no le importa.

3. El sentimiento como posesión: «La noche del sábado» y «La ciudad doliente»

Al pasar revista a la diversidad de sentimientos, esta diversidad nos aclara, una a una, las notas que caracterizan el tema único benaventiano: una concepción humanística sentimental de la vida. Ahora, una nueva característica del sentimiento se nos ofrece palpablemente. El sentimiento es una forma de posesión.

Primero. Dentro de la temática benaventiana, la obra que con singularidad absoluta de ambiente y trama e idea sustancial, analiza más a propósito el sentimiento, es *El mal que nos hacen*. En la convivencia de Valentina y Germán está el obstáculo de la desconfianza. Desconfianza, enemiga de la unión de ambos y de la pureza del cariño (¡!) Cuando Valentina cae en los nuevos brazos de Federico, es sólo por impedir esa desconfianza en la recíproca posesión. La huida de Valentina hace brotar en Germán la confianza perdida en el amor de ella. Es decir, cuando el sentimiento amoroso se ha transformado en norma de nuestra intimidad, es cuando toma posesión de ésta.

Segundo. ¿Cuáles son las formas posibles de posesión por el sentimiento? Dos: una, cuando la posesión la *padece* nuestra intimidad; la llamaríamos posesión de la soberbia, y tenemos que pensar en

Imperia. En la otra forma, la posesión sentimental encuentra su perfección en sí misma; ésta se dirige a la vida en torno para conseguir su sentido más íntegro, y el ejemplo más plástico es Nieves, en *La ciudad doliente*. La primera se *siente,* desde un principio, superior a la vida que la circunda; la otra, en un principio, padece un retraimiento angustioso hasta florecer en un impulso liberador.

A Imperia le nace el afán de poder, contemplando su propia energía vital contenida en la rigidez marmórea de la escultura de Leonardo.

A Nieves son los obstáculos que encuentra su sentimiento, lo que la conforma, psíquicamente, ante los demás. Desde su postración física va siguiendo las reacciones sentimentales de los otros, a quienes atrae con la curiosidad que su inferioridad física promueve.

Mientras Imperia es un grito ronco, nacido unísonamente de un solo signo, Nieves es un estertor de su individualidad, afanosa de triunfar. Mientras Imperia actúa, vive bajo la obediencia de su intimidad, Nieves muestra esa misma intimidad como arma única posible para su lucha.

Imperia es menos humana que Nieves. *La noche del sábado* es pleno Renacimiento; *La ciudad doliente* es el extremo opuesto a la *Utopía,* a la *Ciudad del Sol,* de Campanella. Presenta una desintegración de la vida, porque la de Nieves no es sino una propulsión de la intimidad, incapaz de resistir el anonimato. Imperia, aunque grito ronco, lo es de esperanza en los recursos de la intimidad humana; Nieves no es sino la conciencia de la angustia de esa intimidad viviendo su esencial disyuntiva benaventiana: poseer o no poseer.

Notas semejantes a las que caracterizan a Imperia las encontramos en la protagonista de *Gente conocida,* que se impone con la fe en sí misma sobre la enmarañada trama de ajenas voluntades torcidas, dispuestas a influir en su camino.

Isabel consigue el «triunfo de su alma», tan sólo por la fuerza que sobre su intimidad ejerce su sentimiento.

El grito de libertad de *La princesa Bebé* se impone a su voluntad, porque su sentimiento permanece intocable, íntegro, y conduce las circunstancias externas de la persona que lo padece. La Degollada, con su antecedente, Maestá, es precisamente un rasgo genial, de esa fuerza dominadora del sentimiento: amó una vez y su vida fué otra, y la nueva vida no es sino la pasión de este sentimiento.

Recuérdese la escena de la cacería de *Más fuerte que el amor:* ¿no es posesión lo que Carlos impone a Carmen, y contra la que ésta se rebela? ¿De dónde nace la fuerza dominadora de Carlos sino de la pasión de su sentimiento hacia Carmen? ¿No es este mismo sentimiento, el que impone el cambio de personalidad de Carmen?

La misma *Ciudad alegre y confiada* está basada en el profundo vigor de posesión que posee el egoísmo o la ambición de Crispín; no puede darse mayor prueba que el mero recuerdo de la segunda parte de *Los intereses creados*. De otro lado, Crispín sufre en sí mismo el reflejo de esa posesión del sentimiento, cualquiera que sea su manifestación, amor, egoísmo, odio, y a sus manos muere.

Tiene puntos de semejanza con Nené, la heroína de *El hombrecito*. Su ruptura con el ambiente social que la rodea, supone un deseo de lograr un mundo de principios propios. Rebeldía de la voluntad y la vida poseídas, es el fratricidio de Isabel, *La Infanzona*. Y si Alma dispone del corazón y la vida de su hermana Doll, es sólo por la fuerza expansiva de su pasión egoísta hacia Ricardo.

La noche del sábado y *La ciudad doliente*, son dos formas de ver la individualidad. Imperia o la posesión por sí misma; Nieves o la posesión para y en sí misma. Imperia o una posesión activa, impulso. Nieves, una posesión reflexiva, reconcentrada.

He aquí el planteamiento del problema temático en una y en otra:

> IMPERIA: «... hay para todos una noche del sábado en que nuestras almas brujas vuelan a su aquelarre... hacia lo que está lejos de nuestra vida y es nuestra vida verdadera».
>
> DOCTOR: «... Son dos ruedas: la corporal y la espiritual, tan engranadas una en otra, aunque en distinta dirección, que lo mismo la rueda física puede empujar a la rueda espiritual para rodar con

ellas a las mayores bajezas, que la rueda espiritual puede poner alas en la pesadumbre de la materia para alzarse en glorioso vuelo...»

He aquí la intención del autor de penetrar en el enigma de la intimidad. En el planteamiento visto de *La noche del sábado* se mantiene la unidad de la persona. En *La ciudad doliente* se admite como punto de partida la disgregación, el análisis. No. Benavente no confía ya en la persona íntima como una unidad, cuyo impulso la vivifica y anima. Benavente ve, en 1945, la intimidad humana como una colisión, como una doble posibilidad. El concepto de angustia se ha iluminado y priva.

Al mismo tiempo se afirma la función del sentimiento en esa colisión:

> DOCTOR: «... El motor, en donde el hombre ha puesto la inteligencia y la voluntad de su espíritu».

Luego, independientemente de la voluntad y la inteligencia, hay en la intimidad de la persona humana una fuente de energía, un «motor», que produce los impulsos de la voluntad y la inteligencia. Benavente no ha llamado sentimiento a ese «motor».

Se parte de un punto de vista cierto, pero limitado: la universalidad de lo humano en y por sí mismo, sin ninguna raíz ni ligamento que asegure su trascendencia más allá de lo humano, a donde la razón no pueda llegar. Impotencia que no puede curar, nunca, el conocimiento poético, pero sí puede hacernos sentir la necesidad de hallar otras luces de mayor fulgor para calar más hondo poéticamente. Recuérdese la fuerza dominadora que Casilda ejerce sobre el irrazonadamente silenciado amor de Hernán en *El demonio fué antes ángel*. Bastantes razones se adujeron en contra del tema de *Vidas cruzadas*, obra llena de mixtificaciones amorales del peor gusto; Eugenia no es sino la individualidad poseída por su líbido, y esta posesión modela su vida, su significación ética. Aberraciones ejemplares a las que conduce el miedo de penetrar teológicamente en nuestra intimidad.

No negamos la realidad —angustiosa para cada uno de nosotros— del enigma. Pero el único modo de eliminarlo de un primer plano es resolverlo con la luz del misterio sobrenatural. La limitación del conocimiento poético en torno al enigma de la intimidad impide que las criaturas de la farsa nazcan con conciencia de su culpabilidad. Consecuencia: los personajes, sus acciones no son morales, sino humanas. El poeta pone en funcionamiento las máquinas parlantes de sus espíritus, pero no les da conciencia de sus obras.

No es necesario reseñar, recontar los actos de Imperia y Nieves que podrían ser toques de atención para su conciencia dormida de culpabilidad. Una y otra son centros de los que dimanan fuerzas portadoras de un solo signo: el «yo».

Si no hay culpabilidad —porque el poeta no ejerce plenamente sus posibilidades de creador, en todo el sentido de la palabra—, no puede haber sino; la causa es esta: no hay noción de sino, porque lo humano importa en sí mismo.

En todas las obras en las que la expansión del sentimiento se muestra, resulta la misma consecuencia: la individualidad poseedora o poseída pasivamente por el sentimiento, se completa, se perfecciona, diríamos, por esa posesión. Pero al limitar todas las posibilidades de progreso humano a poseer conciencia del sentimiento, se ensalza al hombre por sí mismo, por lo mismo que se le cortan todas las amarras ultraterrenas —irreligiosidad— y el humanismo del sentimiento es un humanismo pagano del sentimiento.

El hombre —no la criatura— es la propia fuente del proceso de confirmación —poseyendo o poseído por el sentimiento— de su intimidad, en el espacio y en el tiempo. Y alcanzar esa conformación intrascendente es toda su mayor y única perfección. Lo particular sustituye a lo absoluto, arrogándose sus cualidades esenciales.

El que explora profundamente al hombre —no a la criatura— no puede ser más que pagano.

4. Asentimiento en «La propia estimación»

Esta obra tiene la máxima claridad en la trama de su argumento. Su línea argumental guarda, como ninguna otra del teatro benaventiano, aquellas notas características de la formulación del sentimiento: su signo irracional y su sentido enigmático.

¿Cómo se manifiestan el irracionalismo y el enigma en *La propia estimación*? El enamoramiento de Aurelio hacia Angeles se justifica en el corazón. Ni es pasión, ni filantropía por el sufrimiento de aquélla. Aurelio ha forjado su personalidad en la lucha por la vida; humanamente se opone a la personalidad de Pepe, el marido de Angeles. No se trata tampoco de un conflicto psicológico. Aurelio encuentra en Angeles la mujer que no tiene a su lado en este momento en que comienza a encontrar cansada la vida. El enamoramiento surge normal y natural. Y de un modo normal, la pasión «hubiera podido más que todo».

La fuerza de la pasión por Angeles desaparece tan pronto como el asentimiento informa el amor de Aurelio. Este asentimiento nace al respetar el corazón de Angeles en su modo de aceptar la estimación de Aurelio.

La propia estimación se basa en el silencio de Angeles ante el enamoramiento de Aurelio. Sólo Aurelio penetra la intimidad de ella, y sólo así el sentimiento de aquél se identifica con el de Angeles. El sentimiento es asentimiento, consentimiento.

> ANGELES: «... Habla usted por mí; es mi corazón el que habla por usted, y cuando yo creía acusarme, usted me perdona como no me hubiera perdonado nunca. Sí, eso he sido, eso soy: una mujer cobarde, porque he visto con espanto cómo se pierde la confianza, la estimación, que es todo el cariño, ante la angustiosa pobreza que todo lo entristece... Y he tenido miedo y me he atrevido a todo, y he sido egoísta y he querido engañar y engañarme, hasta creer que yo nada significaba para usted».

Otros momentos de asentimiento, de importancia secundaria, los podemos encontrar en *La comida de las fieras,* cuando, en la ruina, la tristeza en los personajes es reflejo de la tristeza del otro. En el mismo fondo último de la trama de *Lo cursi* hay un asentimiento; la disensión progresiva del matrimonio no se evitará hasta que él no acepte como bueno el concepto de «lo cursi» que tiene Rosario. ¿Acaso toda la agilidad del diálogo de *Sin querer* no se basa en un progresivo asentimiento? Duraní y Danisar, más que unidos por el infortunio están unidos por su consentimiento.

Aquella dualidad magistral con que están trazados Crispín y Leandro se funda en un consentimiento. Espíritu y miseria, unidos, se consienten de su vida desafortunada.

Cuando Julio consiente con lo que Emilia piensa de su viaje a la Argentina, se romperá la confianza que entre ambos existía; toda la ilusión matrimonial por los dos forjadas, se deslíe por imposible (*Por las nubes*). Un asentimiento repentino y fugaz, sostiene la fuerza trágica de la última escena de *La Malquerida*.

Consentimiento hay en Pablo, que se ve forzado a ayudar a Isabel en los difíciles momentos por los que atraviesa (*El collar de estrellas*).

Lo didáctico de *Los cachorros*, se apoya en el asentimiento total que entre los muchachos del circo existe. *La honradez de la cerradura* impide para siempre el asentimiento entre los protagonistas.

En *La propia estimación*, Pepe no puede comprender el asentimiento nacido entre su mujer y Aurelio. ¿Por qué la razón se nos muestra, una vez más, impotente para comprender la fuerza del sentimiento? La razón no se aviene a otros datos de conocimiento que los que por sí misma obtiene de la realidad, y el sentimiento no es una realidad para la razón. Encontrar solución al enigma benaventino es poner de acuerdo la verdad de la propia razón con la «verdad del corazón».

Aurelio, en la escena V del acto III pronuncia unas palabras que pudieran haber sido escritas por Jacobi:

> AURELIO: «... cuando estoy seguro de mí mismo, cuando he conseguido el triunfo más difícil

en lo humano, poner de acuerdo la verdad de mi corazón con la verdad de mi conciencia, que una casualidad con apariencias de culpa pudiera disponer en este instante de nuestra vida de un modo irreparable. ¡Poco valdría ser hombre si así fuera! Ahora, que su corazón le ilumine».

El sentido que como valor Benavente otorgaba al sentimiento, está claramente, y con brevedad, contenido en este parlamento de Aurelio. En él encontramos el valor dramático que Benavente concede al sentimiento.

El asentimiento da a Aurelio una seguridad en sí mismo que antes, con el solo enamoramiento hacia Angeles, era imposible que tuviera. El enamoramiento le producía desasosiego; el asentimiento, calma. La fuerza trágica que el sentimiento tiene para presentarnos nuestra íntima realidad, la salva Aurelio con el asentimiento.

No podemos dudar de la índole agónica que para Aurelio tiene la conciencia de su enamoramiento por Angeles. Son palabras suyas: «*Cuando he conseguido el triunfo* más difícil en lo humano». Lucha consigo mismo, no por la índole del sentimiento, sino porque sus motivos no se avienen con la razón: «Cuando he conseguido... poner de acuerdo la verdad de mi corazón con la verdad de mi conciencia». Sin la fuerza convincente del asentimiento, los personajes de esta obra hubieran quedado sometidos a una culpabilidad nacida de la primacía de la razon, culpabilidad que no encontraremos aceptada en Benavente nunca de un modo pleno.

La temática muchas veces inmoral, no sólo del teatro benaventiano, sino de toda nuestra literatura contemporánea, absorbe toda la creación literaria, por ser precisamente en el reino de los valores morales donde más nítidamente se manifiesta el enigma del corazón, de la vida peregrinante del hombre, y es más palpable, al mismo tiempo, la insuficiencia de la razón para descubrir el enigma.

El asentimiento basta y suple la ausencia de cualquier otro motivo de distinta índole para evitar la caída de Angeles, lo innoble del enamoramiento de Aurelio.

5. El sentimiento como pasión: «Más fuerte que el amor»

La compasión es más fuerte que el amor. Nadie pensará que Benavente quiere destruir la afirmación de la que el Romanticismo hizo su credo: nada puede nada contra el amor. Cuando el amor es verdadero. Acaso, pues, la fortaleza de la compasión esté en que siempre es verdadera y en que el amor puede ser falso.

Por estas consideraciones banales llegamos a la siguiente cuestión: ¿hasta dónde llega Benavente con su temático humanismo sentimental?

La última frase que Carmen pronuncia es la afirmación más rotunda que el autor de *Pepa Doncel* hace de la irracionalidad del sentimiento. Si por encima de la locura que todo amor encierra, el poeta coloca otro sentimiento, éste es portador de una irracionalidad más excelsa.

Esta mayor irracionalidad abre ante Carmen, súbitamente, una nueva perspectiva, en la que su inteligencia de mujer que ha sido llamada madre, adivina una nueva bondad, que borre su intención de abandonar a Carlos. Y esta irracionalidad le da nuevos bríos para querer, el sacrificio que ya abandonaba.

El grito de Carlos es una llamada a la naturaleza, a la más íntima esfera de la naturaleza femenina de Carmen. Solamente en el centro de su intimidad podíamos hallar el por qué aceptó el sacrificio que suponía su matrimonio con Carlos, y por qué vuelve a él. Y en esa llamada a su sentido de la maternidad adivinamos toda su lucha entre ir a buscarse a sí misma huyendo con Guillermo, o permanecer, sufriendo, junto a Carlos, doliente siempre, irritable.

Angelita y Fernandita, en *Gente conocida,* son unidas por la compasión. El sentimiento de Carlos hacia Isabel en *Los ojos de los muertos,* no se explica sino enraizado en el conocimiento de la verdad del suicidio de Hipólito, que sólo aquél conoce, y se compadece de Isabel. La protagonista de *Alma triunfante* se compadece de la madre de la hija de Andrés.

Isabel, en *Rosas de otoño,* compadece con María Antonia. A los tres protagonistas de *La fuerza bruta* los une una compasión. Compasión encontramos en *Campo de armiño.* Y en *El mal que nos hacen,* cuando Valentina abandona a Germán, friamente, pensando en que Federico la espera. Y en tantas otras.

Todas las situaciones que *Más fuerte que el amor* contiene, retienen el verdadero contenido temático, impidiéndole mostrarse en toda su plenitud. Puro recurso narrativo es el desamparo económico de Carmen; su carácter hace rechazar la hipótesis de que acepte a Carlos por conveniencia o agradecimiento. Todas las circunstancias escénicas que rodean a Carmen nos llevan ante la incógnita del por qué permanece junto a un hombre enfermo que expresa de un modo raro y anormal su amor. Para Carmen mismo es una incógnita; es el enigma de su realidad espiritual. Solamente descubriendo el nombre del sentimiento ignorado, descubre la naturaleza de su intimidad.

Pero después de nacida la conciencia cierta en Carmen, no hay ningún otro valor capaz de sustituirle. Es más, la compasión excluye hasta al amor.

Y la victoria de Carmen sobre las circunstancias narrativas que la rodean es una muestra bien palpable del afán de Benavente por crear un sistema de valores —emoción, choque, dominio, adhesión, asentimiento—, con que dar una explicación irracional a la vida. Y una explicación que satisfaga la incertidumbre impotente de la inteligencia.

6. Sentimiento y flaqueza: «Rosas de otoño»

Benavente quiere reoconocer en su obra la influencia del gran dramaturgo inglés. Lo traduce algunas veces, lo lee. Pero no ha comprendido, ni mucho menos desentrañado, el hondo sentido cristiano, la base teológica que sostiene la grandeza shakesperiana. ¿Podemos creer en una influencia que ignora el contenido fundamental de lo influyente?

Benavente no penetró en lo único que justifica la universalidad de Shakespeare: su sentido cristiano, auténticamente preocupado por la verdad de la naturaleza humana, lo que, de ser contemporáneo, no le hubiera valido el Premio Nóbel.

En primer lugar, en el inglés hay un concepto básico de criatura. El hombre peregrina desamparado por esta tierra, bajo el peso del pecado original; las criaturas, en tanto vivan su tiempo, son pobres, desgraciadas, porque no han alcanzado, ni alcanzarán aquí, su plenitud integral. Pobres y desgraciadas, viven, padecen su flaqueza. El engreimiento del yo es contrapunto —certeramente empleado en la construcción de las obras dramáticas—, que delinea la verdad única que puede regir la interioridad humana: la potencialidad de mejoramiento que hay en los que Péguy llamara «pèches de faiblesse».

La flaqueza del hombre penado misericordiosamente por el Señor, es impureza, lujuria, pequeños robos, mentiras despreciables para fortalecerse ante los poderosos. Recuérdese el argumento de *Measure for measure*. El juez puritano enmascara con los velos transparentes de la virtud falsa, la justicia, para con la misma falta que él comete. Pero lo más inteteresante de esta obra es el contraste entre la confesión de su debilidad, que hacen los jóvenes acusados de impureza, quienes están dispuestos a reparar con el matrimonio, y la inflexibilidad del juez. Este reconocimiento de la propia flaqueza se opone a la malicia fría del juez puritano.

Precisemos, que el reconocimiento de la propia flaqueza, hace prevalecer un sentido de la responsabidad ante el Señor.

Hagamos desfilar ante nosotros la sombra gigantesca de Falstaff, ensombreciendo con su tortuosidad moral, los *Enrique IV* y *Las alegres comadres de Windsor*, e inspirando a Verdi. Pero, a pesar de su negra y turbulenta grandeza, no inspira el temor que producen Iago y Macbeth. ¿Por qué? Falstaff no se solidariza nunca con su pecado. Este personaje nos ofrece siempre una conciencia diluída, pero muy honda, de su triste destino como pecador. «Triste sire». Y sobre esta conciencia crea una vergonzosa humildad, pero que es reflejo de la sinceridad del yo ante las propias faltas. Sinceridad que se muestra en amarga bufonada o piedad cristiana. El, no quiere oír hablar de la última hora, pero no niega la existencia de una justicia divina, y guarda viva una íntima conciencia de pecado. Sabe que ha de rendir cuentas, pero es demasiado débil para cambiar. Muere invocando a Dios; los que le vieron morir, creen que fué salvo. «Tuvo un buen fin;' vivió como un niño, con su ropa bautismal».

En Benavente encontramos flaqueza, debilidad de espíritu y humana, mostradas agónicamente. Pero no religa a sus personajes con un sentido teológico de su flaqueza. Los crea como seres apesadumbrados por el peso de su propia intimidad descontenta; les hace buscar en sí mismos, con la única esperanza de solo encontrar en su «yo» los recursos de su fortaleza humana. «La vida como voluntad»; la superhombría trasnochada. Las criaturas benaventinas, en cuanto portadoras de un concepto valorativo, son seres *alienados* del Señor.

Dos cuestiones se nos presentan para ser consideradas:

1) Si hay un concepto explícito o implícito de flaqueza.

2) Coordinación del sentimiento y la flaqueza.

1) *Si hay un concepto de flaqueza, implícita o explícitamente.*—La flaqueza humana es desposesión del Bien. Encontrar esa flaqueza supone una creen-

cia en aquel Bien, que es su término ejemplar. El concepto explícito de flaqueza implica comparación lleva en sí mismo un deseo de llegar a ser lo que se puede ser y que no se es. Por el contrario, aceptar la flaqueza implícitamente como estado final, único, sin admitir posibilidad de llegar a ser, niega toda trascendencia.

Tratamos de saber qué concepto posee Benavente. En la obra *Rosas de otoño* la flaqueza enamoradiza de Gonzalo no traza la línea fundamental temática, sino que le abre cauce, y le imprime orientación y le da sentido. Sin la historia donjuanesca de él y su última aventura en la realidad escénica, no tendría sentido la personalización de Isabel.

Puede creerse que la personalidad de Isabel consiste en perdonar. Benavente no pone nunca en labios de ésta una sola palabra de perdón. Su actitud resignada no perdona, ni se identifica en la flaqueza sentimental de Gonzalo.

Es más, la misma ductibilidad enamoradiza de éste no está utilizada temáticamente como aporía humana; Benavente rehuye dar a la trama argumental Isabel-Gonzalo una razón plenamente cristiana, por la que Isabel no concluyera con un canto a la actitud resignada y fiel, con un acto de fe en el poder de su doble sentimiento de resignación y esperanza puramente humana en las que ha fortalecido su intimidad.

Isabel no hace nada por comprender, por explicarnos el sentido auténticamente humano de la debilidad natural de Gonzalo; ésta le sirve, sirve a Benavente para perfilar la adhesión de Isabel para consigo misma. Ni tan siquiera nos inspira a nosotros, espectadores, una comprensión cristiana de las infidelidades de Gonzalo; sólo nos inspira una admiración hacia esa resignación íntima, admiración que cesa al no encontrar contestación a esta pregunta: ¿por qué Benavente, a pesar de contar con la flaqueza del hombre, no crea en torno a ella un mundo de valores, ideas y principios cristianos?

No es la flaqueza, por lo tanto, el punto inicial para tratar la línea temática benaventiana, sino el sentimiento, como único recurso de la intimidad. La fe que el sentimiento promueve no es de «non visis», sino de «visis»; es fe en las realidades irracionales, fe de signo negativo. Así es la fe de Isabel.

La visión sutilmente expuesta de «los intereses creados» que tejen la trama de *Gente conocida*, implica un sentido de la flaqueza humana que, como aquella de Gonzalo, sólo importa para afirmar el concepto de egocentrismo que lleva consigo la protagonista Angelita. Ya analizamos el sentido de rebeldía que frente al ambiente contienen sus últimos parlamentos. Pero esta obra tampoco nos ofrece una comprensión cristiana de la flaqueza. Es más —fijémonos bien—: *en toda la obra de Benavente no hay un solo personaje que, como Falstaff, tenga una con-*

ciencia despierta de su condición humana y, ni mucho menos, que religuen su conciencia con el Señor.

Si fuéramos —es imposible— pasa a paso, analizando cada una de las modalidades de la flaqueza en *Gente conocida* —impureza, lujuria, egoísmo, infidelidades, hipocresía—, encontraríamos que todas ellas, al personificarse en los personajes de la comedia benaventiana, se justifican en sí mismas y por sí mismas. Las criaturas que las soportan las sufren inevitablemente; es así su contextura psíquica y espiritual, y no pueden, ni quieren —de aquí la tristeza, el olvidado pecado capital del medioevo—, ser de otro modo. No es objeción decir que si hubieran alentado una lucha ascética no podrían servir al propósito del autor, ya que el defecto no está en ellas —no las llamé personajes, sino *criaturas*—, sino en el propósito de su creador, que acaso consideró pasado de moda un propósito creador basado en el conocimiento de la verdad —sin tiempo— teológico.

Alma triunfante, en la intención del autor, es el contraste entre la flaqueza de Andrés y la grandeza ética de Isabel. Para Benavente, la magnanimidad de ésta procede de la fuerza imperiosa de la ley natural, en el acto primero. Al final, en el desenlace, le da un valor y una esencia religiosa que no se aviene con las razones que impulsan a Isabel a perdonar.

Hay una falta de visión trascendente del dolor al considerarlo como «cruz de la vida» de modo absoluto, porque el dolor no es el único y más poderoso determinante de la vida del alma. Lo es la caridad, cuyo único sentido posible supone la conciencia clara de la flaqueza de toda criatura.

La única conciencia que de sí misma Imperia tiene es la de su afán de posesión. Para ella lo único que hay en su ser es esa voluntad de posesión, ese afán ambicioso. Es toda su plenitud. Objetivamente, Imperia sufre y realiza, al mismo tiempo, el pecado de soberbia, y no tiene conciencia de su naturaleza enflaquecida originalmente. Ni el príncipe Miguel, ni Florencio. Todos los personajes que alientan en *La noche del sábado* ignoran su culpabilidad, porque no tienen conciencia de su flaqueza humana. El auténtico sentido de flaqueza —la vimos al dar unas notas sobre Falstaff—, no es poseer, realizar faltas; es sentirse débil frente a un poder. «Cuando soy débil, entonces soy fuerte».

Como en *Sacrificios,* Alma, tampoco en *Los ojos de los muertos* tiene Juana conciencia de su flaqueza. De ningún modo nos será posible encontrarla en Eugenia, la «reina» vencida por su líbido, en *Vidas cruzadas.* Alma, Juana y Eugenia, van por el camino de los impulsos imposibles de dominar.

Intenté, una y otra vez, encontrar un sentido de flaqueza que se acerque al concepto cristiano, y no lo he encontrado. *La Infanzona,* después de su fratricidio, invoca el valimiento de Dios, pero nos llega desvirtuada la fuerza de esta invocación, desacorde con la idea temática que impone la necesidad de la muerte de Leoncio como victoria sobre la posesión ejercida por éste. La idea temática influída por Adler es acristiana; no puede cristianizarse con una frase optativa. El sentimiento de culpa le es negado a Isabel, que no puede sentir la flaqueza original, porque su rebeldía fratricida también es dominio espiritual adleriano.

2) *Coordinación del sentimiento y la flaqueza.*— Si el sentido de flaqueza no vive en las criaturas benaventianas, es por la exclusividad del sentimiento.

Los autores que apoyan su labor creadora —sirva Shakespeare de ejemplo—, partiendo de un concepto cristiano, teológico, del hombre y de la vida, no construyen un humanismo, sino un *teandrismo,* y valoran los sentimientos temáticos del corazón humano, desde el punto de vista de la criaturabilidad y la conciencia de flaqueza. La flaqueza no es nunca, en ningún momento de la obra benaventiana, el tema fundamental de una obra. La flaqueza, ya lo hemos visto, existe como un denominador común de la imagen de la vida que Benavente nos entrega. Pero no como flaqueza, entendida cristianamente, sino como condición natural y única posible, sin esperanzas de mejora.

Benavente ha sentido el enigma y lo ha manifestado en su trama teatral, y le ha dado su expresión real, genuína: aspectos de la flaqueza, no la conciencia y sentido de flaqueza. La problemática presentada por ésta realidad, Benavente la resuelve sentimentalmente.

La flaqueza benaventiana nos entrega la diversidad del alma humana, su aspecto imperfecto, pero sin afán alguno de perfección, de lucha.

El sentimiento es la actitud del autor, la solución benaventiana al enigma, ella misma enigma, del centro de nuestra alma. Y éste es el acierto de Benavente: su temática, su comprensión de la vida, va envuelta en los celajes del más hondo enigma humano: lo posible que nuestra interioridad encierra, pero acristianamente.

El sentido argumental de Jacinto Benavente, es una verdad particular que niega horizontes a la necesidad de integral felicidad que sus personajes centrales expresan.

LA RENUNCIA A LA MISION

«Llega un día que uno ya no es uno» *(Una señora)*.

Hemos tratado suficientemente al escritor y a su obra, que triunfó en nuestros escenarios durante varios decenios, que iluminó con la habilidad de sus diálogos las horas grises de muchos hombres para negarle una personalidad, un deseo cumplido de expresión, diría acaso Benavente de sí mismo. Negarle su personalidad sería una falta de justicia. Pero injusticia sería afirmar esa personalidad sin precisarla y valorarla.

Solamente una inteligencia osada juzgaría el teatro de Benavente sin haberle tratado largo tiempo. Si nuestra labor exige un conocimiento preciso de la obra benaventiana, la lectura de este trabajo también lo supone, para poder preguntarnos:

¿Por qué ha sido escrito el teatro de Benavente?

Benavente pronunció, acabada la primera guerra

mundial, en la Argentina, una conferencia sobre *Influencia del escritor en la vida moderna*. Allí expuestos están los móviles y los fines y los efectos que perseguía en toda su labor literaria.

Jacinto Benavente pone su charla bajo el patrocinio intelectual de Steiner, y hace una clasificación de los públicos según los modos de escuchar de éste y de la posible influencia de la obra teatral, pero niega que sean las ideas lo que influya en el público. Luego afirma la influencia de las ideas, cayendo en una evidente contradicción, al mismo tiempo que intenta justificar la mentira de la ideología de muchos escritores. Con este bagaje de ideas, en su conferencia sobre influencia del teatro, abre campo a una interpretación sociológica o justificación sociológica de la obra de Arte.

Justifica toda la intención de la obra teatral, en el deseo del público. La obra teatral no pretende enseñar. Tan sólo «despertar» sentimientos latentes, muertos, dormidos. La obra teatral debe estar al servicio del público; mejor, la obra de teatro ha de agradar al público, aun a costa de la verdad objetiva, porque «la Humanidad quiere verse en las obras de Arte como ella cree ser»; «si el escritor nos dijera alguna vez la verdad, ¿sabríamos tolerarla?».

«Y el gran público es, respecto al escritor, lo que las mujeres respecto a sus amantes: perdonan casi siempre al que las ha engañado; no perdonan nunca al que no han podido engañar». Base instintiva o elemental muy acorde con esta otra afirmación: «Y es que los ideales que no se fundamentan en un natural instinto, siempre serán deleznables». Porque del instinto hay que partir siempre para alcanzar mayores metas, más perfección... en el instinto, no en el espíritu. Benavente no entendería nunca la verdad ascética —auténticamente ascética, no al modo benaventiano—, de que es necesario salvar todo lo posible del hombre viejo.

Toda la mayor ventura deseada del hombre es alcanzar el Bien, no por instinto, sino por conocimiento. Y el Bien es la negación del instinto. Mal camino el de éste para alcanzar aquél. Al bien no puede llegarse por evolución del instinto, sino por perfección del alma.

Una nota general caracteriza esta conferencia: la divagación. Benavente, tan pronto se declara socialista como consciente de la responsabilidad moral; tan pronto habla de la causa de la Gran Guerra como de sus efectos, unas y otros tan ajenos en sí mismos a la influencia del autor. Son tan distintos los puntos bases de su disertación, tan vinculados a consideraciones sociológicas que, forzosamente, tenemos que sacar una conclusión: que Benavente ha querido hablar de la función social del Arte, y no lo consiguió. El arte tiene una misión, como toda realidad terrestre, sólo visible desde la ladera teológica de la vida.

Vuelve al tema de las ideas. Y a tono con aquella

condescendencia ante el público, defiende la utilidad de las ideas que se acomodan a la realidad, en oposición a las utópicas. Razón: «los ideales humanos tienen un límite que la misma Naturaleza no permite traspasar por atentar contra ella misma». Así pues, las ideas nacidas de la realidad se avienen a estos limitados ideales humanos, en tanto las utópicas los quebrantan contra Naturaleza. Benavente escoge para su labor creadora las ideas particulares, las que se avienen con las posibilidades limitadas también, en lógica consecuencia, del hombre.

Pero el mayor error —ligereza del entendimiento— que comete Benavente es querer fundamentar su tesis, racionalmente falsa, sofística, con el siguiente párrafo: «La misma religión cristiana predica como ideal supremo el perfecto ascetismo; pero ved cómo, al mismo tiempo, acepta otros ideales más asequibles; acepta y preconiza el matrimonio, los honestos goces familiares. Sabe que el ascetismo, llevado al extremo, sería la desaparición de la Humanidad sobre la Tierra».

En tanto acaba de negar la validez de las ideas utópicas, admite el ascetismo como norma ideal suprema, menos asequible que el matrimonio, pero asequible, aunque contraproducente. Si va contra la Naturaleza, total o parcialmente practicado, ¿cómo tiene validez y por qué resulta asequible?

Se equivoca fundamental y esencialmente —otra

ligereza del entendimiento— cuando afirma que el ascetismo es el ideal supremo del Cristianismo.

1) El Cristianismo no es un escalonamiento de ideales. Es camino de perfección, y aunque camino, no es un conjunto de metas a las que el hombre pueda llegar solo por su esfuerzo. Todo es ser más o menos amado por Dios y la fidelidad a ese amor divino por parte de la criatura.

2) El ideal de la religión cristiana no es el ascetismo. El ideal, y no de la forma de vida religiosa, porque la vida no es religiosa, sino divina, el ideal del hombre —que es lo único religioso— cristiano, es Cristo, Dios-Hombre. Dios no es ascesis, sino Caridad. La Caridad es ascética, pero aquélla es la virtud mayor y comprende el ascetismo.

3) El Cristianismo, no *acepta* ideales asequibles, tal como el matrimonio, que sean un sustitutivo del supremo ideal, y que según Benavente es el ascetismo. Y aunque fuera el ascetismo el ideal supremo, tenemos que el matrimonio perfecto es ascético, pero el ascetismo perfecto no se aviene con la base instintiva del matrimonio, el «goce», ya que, de acuerdo con lo que nos lleva dicho, Benaven-

te tomará lo instintivo sexual del matrimonio como punto inicial de una evolución hacia una forma más perfecta de amor... instintivo...

4) La Iglesia católica no *acepta* ni *preconiza* el matrimonio, *lo instituye* como fuente sacramental de gracia, para la santificación de los contrayentes, ministros del sacramento.

5) Tanto el ascetismo, como el matrimonio, como la misma Gracia, cuya intervención en la vida cristiana Benavente ignora, son medios. Mal hace Benavente en tomarlos como fines, aunque sea con validez particular.

6) ¿No es una incongruencia creer en la validez de una religión y admitir, defender, propalar —esto es algo más que una incongruencia— que el ideal supremo de esa religión, puesto en práctica de manera absoluta, como los auténticos ideales exigen, destruiría a la Humanidad, en tanto esa religión instituye una forma sacramental, que por esencia no puede estar en pugna con el ideal supremo de la religión que le da vida; sacramento cuyo fin primario

es la conservación de la especie, no para goce de los cónyuges, sino en cumplimiento de la ley natural, que nunca está en pugna con la divina, como Benavente afirma —«pero la ley natural acude al reparo, como sucede siempre que leyes humanas o *divinas* pretenden contrariarlas»— en la escena primera del primer cuadro de *Alma triunfante*?

Si Benavente tiene este concepto ignorante del cristianismo se comprenden estas palabras suyas: «Y si se predica lo que no se practica, entonces aun es más pecador el entendimiento. Y ésta es la razón de que los intelectuales anden tan desacreditados como conductores de la sociedad». Sí, Benavente no predicó nunca ninguna idea religiosa «utópica», ni tan siquiera sus singulares ideas sobre la religión a la que se siente adherido. El no podía predicar el ascetismo, ni absoluta ni limitadamente, porque creía que llevaba a la destrucción de la persona.

Benavente se avergüenza de la religión tal como él la concibe, y como es en realidad, al escribir sus otras teatrales. Me importa sólo el autor; respeto y comprendo al hombre. La más bella temática, aquella que se fundamenta en la captación poética de lo divino que el hombre y el cosmos tienen, no existe en Benavente.

Al afirmar que el autor sólo debe «predicar» —el

término no es de un significado ni significante, muy propio, pero...—, lo que practica es porque a Benavente le resultan irreconciliables —soberbia de la inteligencia— que el poeta pueda crear sus obras sobre una analogía del Bien que íntimamente ansía, y como hombre pueda apetecer el mal. Los hombres no rechazan el Bien; cometen el mal, porque en ello hallan satisfacción pasajera para su ansia constante y duradera. Por eso es muy significativo que cite a Shakespeare —humanismo antropocéntrico renacentista; el inglés ignoró en sus obras al Dios de misericordia—: «Mal predicador es el que predica contra lo que hace».

Benavente hubiera adquirido un concepto —¡él, tan preocupado por lo humano!— más humano, más real, más teológico —la validez de las realidades divinas independientemente de la flaqueza humana— si hubiera recordado las frases de nuestra *Celestina:* «Haced lo que me oís decir, no lo que me veis hacer». Muy cerca de la magistral sabiduría celestinesca estuvo al citar al latino, «Veo lo bueno y sigo lo peor». Pero son muy distintos los conceptos de hombre que entrañan la frase de Shakespeaere y la del poeta clásico; mal engarzadas quedan en un mismo curso de ideas.

Nunca quizás esperábamos que tras el concepto que Benavente tiene de la influencia del escritor en la vida moderna, anduviera oculto un concepto de hombre.

Y después de aquel afán de escribir de acuerdo con la «verdad» que el público quiere que se le diga, y que es la única que pueden hacer triunfar las obras teatrales (! !), era necesario que terminara dándonos su opinión sobre lo que él cree único móvil de la vida: el interés, el egoísmo. Si no comprendió lo más íntimo y propio de la personalidad humana al hablar del magisterio del escritor, no puede conocer otro móvil. Y de nuevo una nueva ligereza del entendimiento, por desconocer la fundamental razón justificadora cuando trata del soneto *No me mueve, mi Dios, para quererte.*

Aunque diluya su afirmación diciendo «que al fin era algo —un interés muy alto y loable, pero interés al fin— lo que movía el corazón devoto del santo hacia el amor divino», no sé cómo puede deducir interés de esta estrofa:

> «Tú me mueves, mi Dios, muéveme el verte
> clavado en esa cruz y escarnecido;
> muéveme el ver tu cuerpo tan herido
> muévenme las angustias de tu muerte».

¿«No hallar placer ni hermosura en él», puede atraer? ¿Puede *mover* la destrucción de la naturaleza física humana y atribulada? El olvido de nuestro yo no es, precisamente, interesado nunca.

Benavente, el autor de *Para el cielo y los altares,* no supo oír la voz del Señor en las realidades terrestres.

El teatro de Benavente, según deducimos por las ideas de su conferencia —nadie tira piedras contra el propio tejado—, no lleva la Verdad, el Bien, la Bondad. La inteligencia del autor sólo puede admitir la realidad de su yo, descarnada sobrenaturalmente. Su imperfección de hombre niega validez a la perfección suma y posible de su temática, utópica si «predica» lo que ansía.

El autor Benavente no penetró en todas las realidades terrestres. Le bastó el individuo, la individualidad humana. Quien mucho profundiza en lo humano —Goethe, Galdós—, es tan sólo pagano intelectual.

La inteligencia creadora tuvo miedo de la semejanza de Dios en el hombre. El temor ante lo desconocido que nos empuja sólo hacia lo asequible irracionalmente.

Aquí la cuestión: la razón no satisface. Y se camina por el único camino posible: el sentimiento humanista.

La obra de arte es portavoz de este sentimiento.

AUNQUE LA VIDA SE VISTA DE SEDA...

Benavente no se deja influir por el Cristianismo, por ese cristianismo vigoroso, potente, eficaz, de una belleza subyugadora. El cristianismo de Dostoievski, de Racine, de Dante. No lo aprendió en Calderón, Juan Ruiz de Alarcón; no pudo gustar la gran lección de Lope de Vega.

Jacinto Benavente ha improvisado un concepto de vida en su obra, desligado de la tradición literaria. Su teatro —como la obra de Tolstoi, de Ibsen— es universal por irreligioso. La universalidad de Dante, de Calderón, es a causa de su religiosidad. Paradoja de una veracidad innegable.

La universalidad de Benavente, con su raíz irreligiosa, se demuestra por una nota que se encuentra por igual en el teatro benaventiano y en cualquier obra de la literatura mundial contemporánea, novela o teatro. Esta nota es la siguiente: la sociedad no condena el mal, no alienta el bien; toda forma moral o inmoral es una realidad dada, con la que hay que contar. El escritor ve en ella solamente una manifestación de la intimidad.

La temática benaventiana, así como la universal de nuestra hora, es un conjunto tramado de sentimientos, presentados como solución dada al problema de la conciencia, inquieta ante su propio enigma. Se ignora la problemática del sentimiento como categoría de la personalidad. Esta ignorancia lleva a sustituir persona por individuo. La temática queda planteada como un conjunto de posibilidades del hombre.

Ahora bien, aceptando como la única posible la realidad de las tendencias instintivas, se hace inmoral la temática. Por el contrario, todas las figuras inmorales de la vida caerán fuera del rigor suave de la moral si se refieren a una desviación o a una finalidad trascendente, metafísica. Es el caso de la poco comprendida obra *El adolescente*.

Advirtamos, recordemos la complejidad de Sonia, Stavroguine, Aliocha, Raskolnikov y la profunda esencia teológica sobrenatural de sus vidas, en oposición a la psicología simplificada de Antal Kadar, Acacia, Imperia, Carabel, los héroes de *Combat avec l'ange*, la *Antigona* francesa, *Reinaldo solar*, *María Chapdelaine*, o los personajes de Kafza. Y es que la simplificación de la vida espiritual, sobrenatural del hombre, por eludir el *misterio*, lleva a su endiosamiento y el hombre encuentra su fin en sí mismo.

Por el contrario, aceptar *el misterio* lleva a descubrir la imagen de Dios en la criatura, y su único fin es Dios.

La paradoja agustiniana sigue teniendo actualidad en el mundo actual de las letras: dos ciudades hay en el mundo: la del amor a sí mismo, hasta el olvido de Dios, y la del amor a los demás, hasta el olvido de sí mismo.

1. El Bien y el Mal

En el ejemplo de Fedor Dostoievski hay una doble finalidad: exponer la función del bien y el mal en una obra literaria. En segundo lugar, demostrar, con la innegable autoridad poética de Dostoievski, que el Arte no es incompatible con la participación entrañable de esta doctrina en la obra literaria.

Los héroes de Fedor no tienen nunca voluntad del mal, por el mal mismo. Pero en su conciencia el mal es agobiante, porque se opone al bien. Es más, los personajes que realizan siempre el bien, para los que la bondad es el único ideal realizable, se agrupan y se conduelen de la realidad enemiga del mal. Es una ventana en celajes que permite entrever el dogma de la Comunión de los Santos.

De un lado tenemos la convivencia del bien y del mal en la misma persona. El autor de *Crimen y cas-*

tigo puntualiza muy bien en labios de Aliocha la culpabilidad posible; aunque Smerdiakov no haya cometido la acción material de matar, es culpable interiormente si lo ha deseado. El tribunal declara culpable a Iván, y no le entiende cuando éste afirma que «todos hemos querido matar a nuestro padre». ¿Dónde se puede encontrar un análisis más perfecto del mal? En el fondo de las declaraciones de Iván hay una repetición de la doctrina de Santo Tomás cuando afirma que nuestras pasiones han de informarse, poco a poco, de la justicia y la moral, hasta llegar a ser morales. Es un programa de perfección, lleno de comprensión de lo humano.

De otro lado, encontramos una solidaridad en el mal, que se opone a aquella solidaridad en el bien y que viene a reforzarla. Sólo así se entiende aquella frase del gran novelista ruso: «cada uno es responsable de todos, y todos de cada uno».

El novelista ruso es el escritor contemporáneo que ha entendido el auténtico sentido precristiano del «*gnosce te ipsum*».

En Benavente no hay una distinción clara y neta ni de bien, ni de mal. Estos no existen coordinados en una misma realidad espiritual, para que esta coordinación fuera la base de una visión exacta de todos los valores que conciernen al hombre, como criatura.

Existe un punto de coincidencia entre los personajes de Benavente y de Dostoievski: el afán que sus criaturas tienen por adquirir un conocimiento exacto de sí mismas. Dostoievski lo consiguió; veamos Benavente.

Uno de los personajes que ofrecen con mayor claridad una disyuntiva íntima entre bien y mal, es Eugenia, la protagonista de *Vidas cruzadas*. Recordemos el desenlace. Eugenia cede a su instinto, fuerte y brutal. Benavente la lleva, desconsideradamente, hacia el cumplimiento y satisfacción de lo más hondo. Hasta ahora nada repugna a la realidad de nuestra flaqueza. Pero, y después, ¿hay en ella una tendencia, un ansia de recuperación moral? ¿Deja Benavente sin cerrar el proceso psíquico normal, para una mayor fuerza realista en la posible intención educadora? No; Eugenia, al caer con Enrique, no siente remordimiento alguno. En esta caída encuentra la mayor justificación de su personalidad en crisis. Al rechazar el matrimonio con Enrique, vuelve de nuevo a reforzar una seguridad, sólo benaventianamente posible, en sí misma. La personalidad que Benavente nos entrega está limitada, mutilada. Es más: el mal que hay en la caída de Eugenia no tiene ninguna raíz metafísica. Ni tan siquiera está considerado por el autor como un mal; toda la labor creadora queda reducida a bucear en la intimidad; allí encuentra la raíz y la justificación ¿del mal?, no, de una realidad del individuo. Recuérdese cuanto dijimos sobre el parlamento de Eugenia cuando explica su actitud ante ella misma y ante los demás.

Para Benavente, por lo tanto, la vida de las personas no consiste en la paradoja del entrelazamiento de bien y mal, de ruindad y alteza lo que le lleva a negar posibilidades íntimas que aparecen bien claras, aun para una débil pero auténtica visión sobrenatural de la vida. Para él, la «vida interior» es una multiplicidad de formas éticas que no afirman ni niegan nada, ni para la persona singular, ni para el hombre en relación con los demás.

Dostoievski tiene una frase muy dura que en él adquiere auténtica grandeza, dada la orientación general de su gran obra. La frase denomina una situación moral: «Las prostituídas de corazón puro». Sonia va a Siberia con una voluntad de redimirse por el sufrimiento. Dimitri acepta su injusta condenación para reparar por sí y por los otros; le acompaña su amante —otra Sonia—, Grouchineka, para expiar su falta, y porque le remuerde el modo como ha tratado a Mitia.

Este mismo tema nos lo entrega el romanticismo, totalmente deformado —el de *Marion de Lorne*—, y que el mismo Tolstoi malgastó en la que está considerada como su obra maestra, *Resurrección*. Dostoievski se salvó de ese romanticismo peligroso infundiéndole hondura. Los amantes expían juntos la culpa propia y la ajena. Con más claridad que antes nos encontramos con el dogma de la Comunión de los Santos.

Benavente rodea a sus prostituídas de un deseo de bondad natural psicológica. Ignoran el sentido de reparación: son criaturas que no maldicen ni sienten hastío por su vida anterior. Es más, su vida escénica encuentra toda su confirmación, en el modo de vida prostituída, no siempre abandonada. *Pepa Doncel, Por la herida, La melodía del jazz-band, La ley de los hijos, La noche del sábado, Campo de armiño, El demonio fué antes ángel, Al fin, mujer; Vidas cruzadas, Gente conocida, El hombrecito, El mal que nos hacen, Una señora, Los andrajos de la púrpura, Los ojos de los muertos, Despedida cruel, La princesa Bebé, Hacia la verdad, La mariposa que voló sobre el mar.* No son todas las obras de Benavente, es cierto, pero es un gran número, y entre ellas están las más benaventianas. Puede ser altamente significativa esta simple relación de títulos.

No parece sino que Benavente, constituyó una moral y un concepto muy propio de la moral. Quizás porque ignoraba las verdades teológicas que se esconden detrás de cada norma. Y no se puede hablar siquiera de una «moral benaventiana» equivocada, ya que todo acto moral en Benavente, queda desenraizado sobrenaturalmente. Se puede hallar la razón de ésta mengua de la verdad en la temática del teatro de Benavente:

1. Porque el teatro se escribe, conscientemente, para halagar el deseo del público;

2. Porque los personajes no tienen una

conciencia solidaria; cada uno vive su mundo íntimo, independencia moral inexacta, utilizada para la perfección técnica;

3. Porque el concepto que posee de cristianismo, como hemos demostrado, le lleva a no poder hacer vivir a sus personajes la auténtica agonía de la conciencia de la criatura religada con Dios, y

4. Porque las conciencias, que sólo sufren la pasión del mal, están alienadas del Señor, ignorando todo el valor de la Redención, a pesar de la frase última de *La Malquerida,* sólo portadora del pagano *climax de la acción* y, ¿poético? *climax* del estilo.

2. Felicidad e infelicidad.

Tschaikowsky para describir, en su *Sinfonía número 4 en Fa,* la infelicidad de los elegidos, destronados por la fuerza ciega del destino, tuvo que hacer de éste una abstracción. Si hubiera considerado el destino desde el punto de vista de la criatura, su *cuarta Sinfonía* hubiera podido llamarse «Invoco vuestra protección», a semejanza de la excelsa obra de J. S. Bach. Platón construyó —vano empeño —un paraíso de las ideas, cuyo único defecto era la frialdad matemática, la abstracción, a fin de cuentas. Dos ejemplos, tan poco vinculados el uno con el otro.

Frente a la técnica abstractiva de Tschaikowsky y Platón, la personalización teológica de Dante y Bach. Para Shakespeare y Dostoievski, el pecado barre la felicidad del camino terrestre. Toda su inigualada temática queda en esta crudeza: La expiación como único camino posible de felicidad ante el pecador. Si Dante no bajara la cabeza contrito, ante los reproches de Beatriz —Teología y mujer, armoniosamente simbolizadas e idealizadas—, no podría llegar al espasmo dulce de la contemplación del Señor, más tarde; no podría escuchar el canto de los ángeles, que acompañan al pecador para ayudarle a expiar; la belleza de los serafines y potestades ajena le sería.

El Cristianismo no abandona al hombre en su expiación, que, como en la *Divina Comedia,* sólo la sonrisa contemplativa y extasiada puede consumar, abriendo ante la conciencia del hombre, el ilímite día séptimo de su transformación en Dios.

El momento de más claridad y pureza de la obra dantesca, es el próximo encuentro del poeta con Beatriz. Si ésta fuera una abstracción, aunque ilusionada, sería imposible encontrar tal puridad de expresión y conceptos, cincelados en la más pura orfebreria del auténtico teandrismo. Teandrismo porque Beatriz es siempre una personalizacíón, y lo son todos los personajes de la obra de Dante, como los de Shakespeare y Dostoievski.

Estamos acompañando a Dante en su última jornada de peregrino. Sólo le queda un pequeño obstáculo que salvar, un pequeño río. En la otra ribera, una dama, Matilde con paso de danza, coge flores, en tanto rie; es la risa paradisíaca, llena de luz. Dante, tiene que expiar, y aqui, tan cerca de la meta última de su poema, comienza a alejarse del platonismo. El mundo celestial podría abrir más amplio cauce a su imaginación poética. Paradójicamene, se concreta en sus personalizaciones; no deja de caminar ni un solo instante, entre las lindes bien señaladas de la persona.

Beatriz será siempre una mujer. Vestida de rojo, con sus alhajas infantiles, su rostro florentino, mientras reprocha a Dante su carnalidad, mientras le conduce al paraíso para salvarle.

La diferencia fundamental que encuentro al comparar este ambiente dantesco de felicidad sonriente, con el ambiente general del teatro de Benavente, es precisamente esta, que es fundamental dada la índole de la temática benaventiana: en tanto Dante crea siempre sentimientos espontáneos, los sentimientos que alientan en los personajes de aquél, son, por el contrario, fríos, fondo de una abstracción. Sentimientos que conducen, inapelablemente, hacia un fin dado.

Esta falta de objetividad al considerar las causas de felicidad o infelicidad de sus personajes, impide que

Benavente, penetre, cale en su intimidad, hasta conducirlos por el único posible y mismo camino, que lleva a Dante hasta la felicidad que Beatriz le ofrece: el horror a sí mismo, hasta perder el sentimiento. En tanto los sentimientos de los personajes sean dados «*a priori*» como formas morales abstraídas; es imposible que acaben en un profundo conocimiento de la auténtica esencia de la criatura.

Los personajes de Benavente no encontrarán nunca en su triste camino a Matilde. Y aunque la encontraran, insustancial sería para ellos su sonrisa, ya que sólo es comprensible para el ánimo decidido a la expiación.

Fijémenos que no hay ningún personaje en el teatro de Benavente que hable nunca de la felicidad como logro posible en nuestra vida. Es otra razón para afirmar la irreligiosidad —negación de la Providencia— y el acristianismo del autor Jacinto Benavente. Ante su alma de artista despierta, pasan formas de la más varia esencia, y ninguna de ellas significa un deseo de felicidad duradera.

No podemos llamar felicidad a la momentánea posesión por Acacia de Esteban. Ni Juana halla la felicidad al buscar en el suicidio la huida ante la sombra de Hipólito. ¿Alcanza la felicidad Eugenia en la consecución del deseo de su «vida cruzada»? En *Lo increíble* no se plantea un problema de felicidad contra la murmuración de todos los demás, sino una seguridad de la propia intimidad.

La temática de *La noche del sábado* ¿quiere decir que Imperia es feliz? Es el personaje que más claramente expresa un deseo que no se sacia nunca. Benavente ni tan siquiera repara en los pequeños instantes de felicidad que consigue Imperia en su soberbio camino de ambiciones. La flaqueza moral de los personajes que cometen infidelidades no hace reparar a su autor en la felicidad efímera que lleva consigo un triunfo del capricho, ni tampoco en la infelicidad que trae después cuando la breve felicidad huidiza pasa, y que se creyera definitiva.

Siguiendo la línea expositiva y temática de Dante, encontramos la razón última de sus personalizaciones. Su afán de conseguir la máxima felicidad es el convencimiento de que ésta es un puro reflejo del amor divino. Sólo así la expiación puede hacerse luz, música, canto, danza.

Benavente toma la forma moral del amor como término absoluto en sí mismo. Otra consecuencia: en las formas éticas no se advierte una trascendencia nunca; cada una de ellas son término absoluto en sí mismas de un proceso íntimo. La intimidad, como medio de expresar lo abstracto, es la consecuencia última.

Las formas portadoras de felicidad no son formas personales, sino medios para conseguir la perfección técnica de la obra. Lo nacido de la personalidad perfeccionada por la sucesión de momentos más perfectos cada vez, engendra en torno semejanzas morales. Es la causalidad recíproca de lo sobrenatural. Esta utilización de los sentimientos sin causalidad sobrenatural impide que Benavente ofrezca un estado real de las almas en su teatro.

Podemos establecer el siguiente cuadro de conclusiones:

1. La tragedia total que Benavente nos ofrece es el resultado de la tragedia íntima, particular, de cada uno, incomprensiva ante la tragedia de los otros. La infelicidad de uno es la obra de la infelicidad de los otros, pero *sin solidaridad;*

2. Esto es causa de la falta absoluta de la noción, vivida, de la propia flaqueza;

3. Porque los personajes de Benavente no miran en sí mismos —como *Ricardo II*—, «El libro donde mis pecados son escritos soy yo mismo»;

4. Lo cual produce una ausencia absoluta de la noción de pecado;

5. Todos los personajes creen hacer el bien, creen llevar el bien en su vida; pero no es un bien absoluto, sino un bien particular, porque sólo importa a su conciencia.

6. Si Benavente hubiera penetrado en la raíz metafísica del mal y del bien, del pecado y de la flaqueza, su poesía hubiera alcanzado mayores alturas, y nosotros hubiéramos sentido el vértigo de nuestra mente al tomar contacto con verdades, que la razón sin lumbre de fe, no alcanza ni alcanzará nunca a comprender.

7. La ausencia de la idea de pecado, hace que el personaje se justifique a sí mismo; que sea en su interioridad donde busque —y encuentra al sentimiento— la razón justificante;

8. Lo que supone una ausencia de la norma por la cual podamos declarar culpable e inocente al personaje, tal como podríamos hacerlo si tratáramos estas cuestiones comparándolas con la temática de la tragedia griega.

9. De aquí que no encontremos la sublimidad paradójica del «justo que sufre», ni espontaneidad en los sentimientos.

10. A la luz del Cristianismo el corazón humano alcanza profundidades y dimensiones, que el paganismo intelectual le niega.

3. Esperanza y desesperanza. Dolor y tristeza

> Per me si va nella citta dolente;
> per me si va nell'etterno dolore;
> per me si va trá la perduta gente.
>
> Giustizia mosse il mio alto fatore;
> facemi la divina potestate,
> la somma sapiènza s'l primo amore.

Estos tercetos de las postrimerías dantescas nos resumen el clima espiritual cristiano ante la duradera vida terrestre. El hombre es una minúscula ciudad doliente; la Humanidad, la gran ciudad doliente. En las dos ciudades, iluminadas por la fe, engendradas por *il primo amore* y la mayor sabiduría, las almas sufren y esperan.

Dante abandona el Infierno, y en el Cielo cuatro estrellas —las cuatro virtudes cardinales— brillan. Son los cuatro rayos de luz que hablan de la misericordia de Dios. Sin ésta, las almas que viven en la ciudad doliente sólo sufren, nada esperan. La vida duradera resulta absurda e insufrible.

La esperanza hace dulce la espera de los «humillados» por su flaqueza. Ésta no es un valor que cuente en la ciudad doliente, sino dentro de la economía del amor divino, ritmo del universo. Dante hace que el planeta Venus simbolice esta armonía amorosa que fortalece toda flaqueza. Rubén Darío hizo lo mismo al construir su visión del mito de Venus.

Venus es el espejo donde las almas pueden ver la tersa serenidad de la esperanza contra toda desesperanza racional.

La ciudad doliente íntima, la doliente ciudad de todo el cosmos bañada en la plegaria y la expiación, espera. Contra el idealismo racional que halla el sentido expiatorio en una sublimación química de la materia para libertar al espíritu, la auténtica expiación extrarracional esperanzada vive una expiación carnal bajo el manto misericordioso del Señor. Y hay una inevitable nostalgia por alcanzar el «dolce color d'oriental zaffiro...»

La esperanza lleva a la expiación por la contemplación activa y el olvido de sí mismo, la mirada en «el hermoso planeta que a amar nos invita». Este es el único clima posible de la ciudad doliente terrena, duradera.

Clima bien distinto de todo lo que ofrece nuestra intimidad, sin la lumbre de las cuatro estrellas que brillan sobre el monte de la postrimería dantesca. Clima bien distinto del que ofrecen las realidades terrestres cegadas para la luz de la fe.

El clima del dolor dantesco, de las ciudades dolientes que anidan en la *Divina Comedia,* habitadas por todas las realidades terrestres —políticas, religiosas, morales—, encarnadas en todos los hombres que en su vida amaron o fueron odiados, odiaron o fueron amados, es la *Spes nostra.* De nuevo la espontaneidad en su trascendencia, de los sentimientos humanos, implícitos en la claridad estilística de los versos divinos de la comedia del poeta florentino, acaso el más humano de todos los poetas.

Spes nostra porque sabemos que nosotros no escogemos nuestro destino; lo recibimos providentemente. No somos criaturas pitagóricas que siempre escogen mal. Nuestra única guía —fuente de purificación— es la aceptación rendida del destino que nos fué trazado por la mano providente. Sólo así es creciente la luz, la transparencia en la intimidad del hombre, que se sabe amante criatura amada. «Para los que aman a Dios todas las cosas son para bien». De ellos es el don de la esperanza mejor. Junto a la ribera del arroyo de la esperanza se olvidan nuestros pecados, lo único desechable del hombre viejo que, olvidado de sí, puede mirar y oír la sonrisa de las cuatro estrellas de Dante Aligheri.

Además, sólo por la esperanza llegamos a una perfecta comprensión de la muerte. La muerte adquiere cuerpo, presencia en nuestra conciencia y se nos ofrece como el más perfecto olvido de nuestro yo. *Vita mutatur, non tollitur.* La muerte es una transfiguración de nuestra vida duradera hacia la eternidad del hogar de *il primo amore, y la somma sapienza,* atributos de un Dios personal, real, vivo...

Dice Benavente: «... está para nacer este libro mío, esta *Ciudad doliente,* si no tan terrible como la dantesca, porque en aquélla no hay esperanza y en ésta siempre hay una: la muerte...» Benavente sólo ha pensado en el Infierno. Doliente es esta *ciudad* como la otra; el Purgatorio, cuyo dolor, cuyo clima tiene más semejanza con el nuestro, porque en éste y en la ciudad purgante la criatura puede merecer y expiar, esperanzadamente.

Benavente opone el Infierno a la vida temporal; aquél, sin esperanza; ésta, con la muerte por toda esperanza. Benavente piensa en la tristeza de la muerte; es la única nota que señala para calificarla. Benavente ignora la esperanza, virtud fundamental de la ciudad donde habita el hombre. Su punto de vista es parcial, inexacto.

Es exacto —aunque no universalmente— lo de «ser malo» y «estar malo», o cómo enfermedades morales se visten de dolencias físicas. Pero no es cierto que ésta sea la síntesis del dolor humano, ni que este mal psíquico o moral que los hombres padecen sea el mal absoluto de esta vida. La inexactitud de esta apreciación de Benavente es ignorar las raíces metafísicas de toda maldad. A Benavente le basta con exponer la trama de sus observaciones.

Para nuestro autor, la muerte es triste para los enfermos, que saben son una carga para sus familiares, deseosos «de no verle padecer tanto». A Benavente le basta la realidad observada, en casos muy aislados, de los enfermos crónicos que se hacen odiosos para sus familiares. Si se toma como buena una situación moral, en la que hay una falta absoluta de caridad, es imposible que después exista una interpretación teológica del dolor y de la esperanza como soporte de aquél, hasta hacerlo llevadero.

Nieves es otra voluntad adleriana, tal como *La Infanzona*. Recuérdese el anónimo «maquinalmente» escrito, porque «en nuestras acciones nos desconocemos siempre». De nosotros, de nuestro «yo» desconocido, sólo podemos percibir los estertores del organismo o de la trama infrahumana de nuestra complejidad.

El único objeto de conocimiento reflexivo para Benavente es el sentimiento. Olvida que cuando es el inconsciente lo que actúa, no hay sentimiento, porque no hay voluntad ni intelección...

Tal como Nieves nos explica, tal como nos diseña el contenido ideológico del que es portadora, se nos ofrece como un muñeco ignorante de la alteza divina que tiene en sí misma, independientemente de los otros, como criatura aislada meramente.

Sí, su personalidad sufre una mengua indudable en todos los órdenes; Benavente destruye las cadenas que sostienen menguada la personalidad de su personaje, la liberta, pero esa liberación no es sino el triunfo de la inconsciencia del sentimiento de Nieves hacia Julio.

La ciudad doliente, íntima, de Nieves, rechaza el dolor, desconoce su economía sobrenatural, porque tampoco en la complejidad psíquicoespiritual de esa criatura benaventiana hay equilibrio entre su alma ascendente y su yo descendente. Quería pesar a toda costa en la vida de su hermana y de Julio.

¿Por qué Benavente no da una raigambre más espiritual a su temática en *La ciudad doliente*? Porque para él el espíritu es una fuerza que se destruye a sí misma. Y esta opinión confirma la ausencia de la visión sobrenatural del mundo del espíritu. Los resultados del espíritu del hombre destruyen lo espiritual, precisamente porque hay una ausencia absoluta de sobrenaturalidad en el uso de la fuerza creadora del espíritu, que es motivo tan sólo para adorar al hombre.

En resumen, en *La ciudad doliente* de nuestro dramaturgo hay un concepto de esperanza y de dolor, pero enlazados por la tristeza de la muerte. La muerte es triste por ser la única esperanza para eludir el dolor.

1. Repetimos: a la vida imaginada por Benavente le falta la idea de expiación que acompaña a la conciencia de criaturabilidad, también ausente;

2. En el universo doliente de Jacinto Benavente, sólo hay un amor a sí mismo, que en sí mismo tiene su límite. El amor a Dios, como camino para llegar al amor de los hombres, y al verdadero amor a sí

mismo, que es el conocimiento propio, está completamente ausente;

3. Por lo tanto, la presencia de la muerte, contenida en la obra comentada, está muy lejos de animar una alegría sonriente ante la prometida beatitud, para quienes han sabido amar y hacerse amar, al modo divino.

4. Si Benavente poseyera un concepto de esperanza «cristianizada» del más allá, a la luz que de allí nos viene estudiaría las realidades terrestres. El mundo de Benavente es de desesperados que niegan la virtualidad práctica de la sobrenaturalización de su dolor, para caminar por el camino trinitario de la Fe, de la Esperanza y la Caridad.

5. Sólo hay voluntad de poseer lo finito hasta acallar toda angustia, contra la angustia no conocida de la desposesión original de todo bien duradero. Junto a esto, la conciencia de las propias posibilidades en potencia.

4. Fatalismo y libertad

Si fué imposible encontrar el Bien en la temática de Benavente, imposible será encontrar una voluntad libre entre sus criaturas. *Sicut autem fuerit voluntas in coelo, sic fiat* (I, Mac., III, 60).

Llevamos aportados suficientes razonamientos para estar convencidos de la absoluta humanización irracional —por ser exclusivamente sentimental— de las criaturas de la farsa benaventiana. Esta humanización sentimental limita el mundo espiritual de los personajes, ofreciéndoles su realidad íntima como lo único posible.

¿Cuáles son las posibilidades poéticas de esta realidad que determina en un sentido dado la voluntad de los personajes? La poesía nunca, hasta nuestra hora moderna, ha sido expresión de realidades racionales o irracionales. Las realidades extrarracionales fueron los únicos motivos con fuerza suficiente para ser fautores de la poesía.

La condición poética de los personajes benaventianos —y aun de la misma temática— consiste en que nos son entregados como siervos de una autocracia ideológica, siendo así que para poseer la máxima potencia poética que contiene la criatura, precisaban ser ciudadanos libres e independientes del universo, entendido sin mixtificaciones apriorísticas, sino a la luz de lo sobrenatural resplandeciente en toda realidad terrestre.

Esa servidumbre apoética confunde lo arbitrario con la libertad en sí misma, como bien último, con lo cual resulta un endiosamiento del yo, que es el fundamento del humanismo ateo (Feurbach, Nietzsche, Gide, *Alain*).

Servidumbre a la autocracia del sentimiento hay en el alejamiento de Manuel, de un «nido que no es el suyo»; no hay otro valor que la confianza en la propia conciencia. Nené, los Alsina, Silvia la de *La gata de angora,* y los mismos protagonistas de *Despedida cruel;* Lucía, en *La melodía del jazz-band;* Imperia, Isabel, triunfante sobre su dignidad ofendida, para que prevalezca el sentimiento; o la fraternidad imperante en *El dragón de fuego* sobre toda otra razón; el diseño, un poco romántico, de *La princesa Bebé;* Carmen, vencida por una compasión «más fuerte que el amor»; o la renuncia a su condición real de *La princesa sin corazón;* Valentina unida a Federico; el cambio psíquico de Elisa, «una señora»; Gilberta, banal y suicida; y tantas otras obras, no significan sino esa servidumbre a la autocreación de su humanidad atea.

¿No hay una semejanza análoga entre este humanismo benaventiano y el de Feuerbach, Nietzsche y la voluntad wagneriana de poder?

Este ateísmo humanista, antihegeliano, marxista por línea directa, llévanos a confirmar la ausencia de sentido metafísico del mal en Benavente, la falta de una clara visión del pecado.

Para calar en el vértigo libérrimo del pecado es necesario tener una viva noción de la misericordia del Señor. Paradójicamente, resulta también cierta la proposición inversa. A un determinismo en las causas de los sentimientos humanos, como ocurre en Benavente, corresponde una negación implícita de la libertad.

De otro lado, para nada es necesaria la libertad cuando tampoco hay una apetencia de Bien.

La tragedia griega era fatalista por un desconocimiento de la última verdad. El sentimiento, adoptado como solución irreductible al misterio del destino moral de las criaturas, es un fatalismo más ciego aún, ya que no se atreve a profundizar en ese misterio. Es el *miedo de la inteligencia.*

Los griegos pensaban que el hombre no podía luchar contra los dioses. Jacob había vencido ya al ángel del Señor. Benavente ignora el valor y sentido de esta lucha bíblica, ya que pone a sus personajes en camino de endiosamiento. Para los personajes benaventinos, atentos tan sólo a la realidad de su conciencia, les resulta inútil toda espera —toda esperanza— en esta «citta dolente», donde hay que vivir sin ver. «Si esperamos en lo que no vemos, esperémoslo pacientemente». (Ad. Rom., VIII, 25.) Los personajes de la «humana comedia» benaventina ignoran la pasión, el padecimiento de la esperanza como impulso para la aceptación absoluta del Bien mejor.

5. Dios y el hombre

Deus charitas est. El hombre es desamor. Más que titular este apartado con la copulativa uniendo los términos, se debían haber contrapuesto. El hombre contra Dios. Dios y el hombre son dos contrarios que sólo el amor concilia para toda la eternidad, apagando la querella en la eternidad iniciada. Es imposible concebir ninguna temática literaria cierta, auténtica —ni de cualquier modo de conocimiento intelectual— que prescinda del misterio de Dios, de su actuación real, vivida, entre nosotros, en nosotros. Sin preocupación por el más allá, es imposible crear una obra con la categoría más humana: la angustia metafísica. Esta fué la nota común a todos los grandes poetas, no ya sólo desde el punto de vista de la solidez constructiva de sus ideas, sino tan sólo atendiendo al aspecto de creadores, de inventores de recursos estilísticos. Recuérdese la enumeración caótica de Whitman, Rilke, Romains, Werfel, frente a la enumeración armónica de los Salmos, Calderón, Rubén Darío, Claudel.

Ningún recurso de estilo de validez universal encontraremos en Jacinto Benavente. Ningún adelanto en la exposición de la temática de nuestra hora:

el odio al anonimato. Entre sus traducciones, por ejemplo, no encontramos ningún título clásico; no ha seguido esa corriente de moderna interpretación de la tragedia griega, que es exponente de una seria preocupación por saber cómo se relaciona el hombre con el más allá.

Tendremos que deducir que Benavente no está preocupado por el más allá. Dios no existe en la obra de nuestro autor. Para Benavente las realidades morales que animan nuestra vida, no son luz que ilumine el claroscuro del más allá en razón de su semejanza.

El escritor que, contemporáneamente, ha iluminado las realidades terrestres y realidades de la más alta calidad moral, ha sido Chesterton, cuya temática literaria se basa en la fuerza de la fe. Para siempre quedará en los anales de la historia literaria la polémica Chesterton-Shaw. Las paradojas afiladas de aquél, aunque no constituyen ninguna novedad como recurso estilístico, están envueltas en una singular modernidad, que Kierkeggaard nos explica cuando dice que la paradoja es el modo peculiar de expresar las altas verdades.

Frente a este estilo oponemos el estilo sin contrastes lógicos de Jacinto Benavente. Los efectos hablan de las causas. La conclusión brota por sí misma.

Denunciamos la ausencia de Dios en la obra dramática del autor de *Ni al amor ni al mar,* su obra más irreligiosa, no por un deseo de que el nombre del Señor esté en los labios de los personajes constantemente. Sino para manifestar la ausencia de las fuerzas coordenadas de la economía divina operantes en el alma del hombre, y que son los brochazos maestros por los que adivinamos la esencia divina del hombre.

Lo religioso, lo que religa al hombre con Dios, es un apéndice, un adminículo, un recurso último, en el que la conciencia se ocupa a falta de algo más serio. Recuérdese a Nené.

Ni la brusquedad de *Los ojos de los muertos,* cuando es presentada la última razón argumental. Ni aquel desconocimiento de Acacia, ni el dominio de Imperia, ni la muerte de Leandro, ni la de Crispín siquiera, ni aquella de Elisa, que muere esperando, son acontecimientos excepcionales, trazados artísticamente, por una analogía con la voluntad de beneplácito del Señor. No son excepcionales como resumen expositivo de un valor; son término lógico de un proceso sentimental construído *a priori*. Su validez les es dada por su significación temática.

Si la obra benaventiana tuviera como fundamento una interpretación de la vida desde el punto de vista cristiano, los acontecimientos nos sorprenderían maravillándonos, como nos maravilla la sorpresa de la muerte de *El Caballero de Olmedo,* o la deseada muerte de Julieta o la de Calixto. Estos tres acontecimientos, resultan excepcionales por ser irreales pero posibles. Muestran toda la fuerza creadora de la fantasía poética. No son resultado de un proceso humano, sino forzosamente extrahumano, como la misma muerte de Antígona. Y ese momento excepcional y sorprendente se produce porque la criatura adquiere conciencia plena del poder que hay en ella o del amor que la eleva.

La fuerza poética de los ejemplos aducidos se basa en el deseo de evasión ante los acontecimientos que estrechan la conciencia rebosante. ¿Hay algún personaje con deseo de evasión en la obra de Jacinto Benavente? ¿Alguno que tenga noción de la fuerza auténtica espiritual, o se sienta atraído por un amor que sea elevación?

A los personajes benaventinos les falta creer en la posibilidad de la elevación hacia el más allá. Nada más cierto poéticamente que esta posibilidad transformada en norma de vida, aunque plagada de errores en razón de nuestra duradera condición de criaturas. Pero ante los errores de nuestra mente, peregrino del camino de la luz verdadera, sólo cabe la sonrisa, aquella sonrisa de San Gregorio que, cuando comprendió que el pseudo Dionisio tenía razón frente a él, sobre el número de los coros angélicos «se rió de sí mismo».

Los errores de nuestra limitación no pueden retenernos por falsa humildad, que es soberbia, en el desconocimiento de lo absoluto, según nuestras posibilidades. El Arte se ve privado de una de las características más fundamentales de su naturaleza, la renovación. Si no avanza, confiado en la ayuda del Señor, deseoso de ser conocido a través de la humildad intelectual del poeta. Y también la humildad del corazón limpio. Cada escalón en esta escala ascendente es un profundizar en la bajeza humana. De la Nada al Todo. Es la enseñanza del Sermón de la Montaña.

El único camino técnico, argumental y valorativo, que los personajes se sepan criaturas que «aún no» han alcanzado lo que esperan y precisan, y vivan el impulso angustiado de esta mengua. Después,

> Cosí orai; et quella, si lontana
> come parèa, sorrise e riguardami,
> pói si torno a l'etterna fontana

Que los personajes se sepan elegidos, llamados. Que el poeta viva la pasividad activa de la elección. La elección divina es amor a la criatura; que la creación de los personajes sea expresar esa condición integral humana.

El Cristianismo —que no es un *ismo* más— nos introduce, al encarnarse artísticamente, en el reino temático más humano que poeta alguno pudiera imaginar. El hombre «humillado» espera al Dios, que salva. Y este sueño de esperanza es el mejor programa estético, la mejor buena nueva del Arte. Y basta la aceptación de la vida de Dios que se da a los hombres. El hombre, o el poeta, importa nada; es la criatura que hay en él, el instrumento idóneo para la realización de su quehacer temporal.

Quehacer muy humano, por muy divino, que consiste en encarnar aquí abajo el Paraíso en promesa. Cantar esta realidad teológica no vale nada; vivirla, encarnadamente en la obra de arte, es todo. Aunque no somos santos, basta con ser cristianos.

Partir del sufrimiento, del pecado, de la muerte, para llegar a la alegría eterna del Señor, porque Dios es Alegría.

> O luce etterna che sola ni te sidi
> sola t'intendi è da te intelleta
> e intendente te amì e arridì.

CRISTIANISMO Y HUMANISMO EN JACINTO BENAVENTE

1. Visión general

En la historia del pensamiento literario de nuestro tiempo crucial, hay una abundancia de datos en los que se precisa que el mayor mal que aflige a la creación literaria y la empuja por caminos apartados de la fe, es la falta de sinceridad intelectual del escritor; Benavente ha demostrado y defendido esta posición. Esta insinceridad intelectual impide que los autores manejen verdades objetivas; la única certeza que su inteligencia les permite aceptar es la de su individualidad. En torno a ésta, construyen su sistema ideológico, su temario poético, alejado sustancialmente del camino de la fantasía extrarracional.

Buen ejemplo de lo que decimos es la ruptura de la correspondencia entre André Gide y Paul Claudel, por la que éste quería atraerle a la Iglesia Católica. Gide nunca expuso sinceramente los verdaderos motivos de su negativa. Para Gide, «la moral cristiana contiene la esperanza de que algún día se concibiera el Evangelio como jalón hacia «un estado nómada».

La clave del pensamiento inconfesable de Gide, es que el hombre satisfaga por sí mismo sus exigencias individuales. La única finalidad propia del hombre está en la naturaleza del individuo. Conclusión que nos recuerda cuanto llevamos dicho sobre Benavente, y hasta en los mismos términos. La influencia de Nietzsche es innegable. Claudel contestó a Gide con palabras de arraigado sabor paulino: «Ningún hombre puede alcanzar su grandeza en sí mismo, sino en mayor o menor concordia con el ambiente que le rodea».

La concepción de Gide lleva inevitablemente a aquella confusión señalada que toma por libertad lo arbitrario, que para él tiene más valor que la armonía que el Cristianismo defiende. Gide, como los personajes benaventinos, se irroga la máxima autoridad moral; sólo así puede justificar las tendencias de su conciencia. Las palabras de cualquier personaje del teatro escrito por Jacinto Benavente, pueden ser eco fiel de estas ideas de Gide. Claudel opone a esta doctrina esta densa frase, que parece una paráfrasis antiprotestante del versículo paulino, que dió base a la soberbia de Lutero: «Es necesario contraponer las obras a las instancias de nuestra intimidad».

Estoy defendiendo la validez del Cristianismo frente a cualquier otra posición ideológica creadora de Arte. La obra de Claudel, de Péguy, Knox, etcétera, atestiguan con su innegable calidad artística, dramática, la validez de nuestra confirmación.

Puede presentarse la objeción de que una identidad de concepción del Universo, impide el desarrollo de lo personal. «En la casa de mi Padre hay muchas moradas». Es precisamente la exagerada libertad de pensamiento lo que impone a la inteligencia una tónica unánime de superficialidad y una necesaria subordinación a las tendencias de la época, en tanto el poeta de fe, cuenta con mayores posibilidades de acentuar su personalidad dentro de una común postura ante sí mismo, el cosmos y Dios. ¿Qué identidad hay entre Claudel, Bruce Marshall, Chesterton y Bellow, Mauriac y Bloy, Psichiari y Maxcence van der Mersch?

No es ajeno a nuestra época el intento de mostrar la coincidencia entre la fuerza creadora del arte verdadero y la recreación, renovación espiritual que preside la vida cristiana. Bastarán dos nombres: Huysmans y Bloy, en sus distintas orientaciones conocidas.

¿Qué puntos de contacto hay entre este clima y la obra de Benavente? Ninguna. La obra de Benavente es distinta de la creación literaria influída por el Cristianismo. Pero es necesario penetrar en las causas de esta disidencia.

Será necesario atender al problema de *por qué* Arte y Sentimiento coinciden en la misma línea.

El Cristianismo ofrece una concepción integral del sentimiento, porque integral es su concepto del hombre. Y también admite el sentimiento como vehículo de comunicación artística, en oposición a la concepción gidiana del sentimiento como motivo absoluto del Arte. Siguiendo un poco la línea de la teoría literaria de André Gide y buscando su comprobación en *Les faux-monnayeurs,* que está considerada como su obra maestra, se nos abre el horizonte para comprender mejor la temática de Jacinto Benavente.

Si el sentimiento es tomado como la única temática del Arte, sólo ofrece una atomización de las observaciones tomadas en la vida real, sin formar ninguna unidad física, armoniosa. La realidad no se transfigura con ello, sino que se hace más real. Brutalmente real: la ruptura de Bernardo con su familia, triste comienzo de la obra citada de Gide; la «pasión» entre aquél y Olivier; la trilogía repugnante entre Vicente —que asesina a Lilian— Lilian y el conde de Passavant; Eduardo enamorado de Boris, quien a su vez ama a Bronia; y el final «optimista»: la alegría de Eduardo porque va a conocer a un hermano pequeño de otro «viril» e «íntegro» personaje...

No se quiere demostrar una absoluta semejanza entre Gide y Benavente, aunque poca diferencia hay entre los temas del francés y *Vidas cruzadas, La Infanzona, La sonrisa de la Gioconda* y *Cuento de amor*. La verosimilitud de los «sentimientos», su imagen, su reflejo más que naturalista, nada dice de la auténtica creación literaria, fundada en imaginar otra vida, cimentada en las mismas fuerzas que crean divinamente la cotidiana. Resulta un humanismo sentimental opuesto al cristiano.

El Cristianismo propone una participación del hombre en la salvación propia que Dios quiere, sin egocentrismos, sin preocupaciones sobre sí mismo, sino constantemente vuelto hacia su Creador, o hacia su huella en la creación, unitariamente, hacia ese «algo» eterno que le da vida.

El Cristianismo mira por encima del hombre.

2. Sentimiento y Arte

El arte cristiano no puede negar la participación del sentimiento en la creación literaria. Es más, la creación literaria puede considerarse como *expresión de sentimientos*, no como sentimiento; *expresión de los sentimientos preocupados por lo que no es «yo»; y de esa cristianización progresiva de todas las fuentes sentimentales y de conocimiento y de las posibilidades del alma como unidad sustancial*, que es el proceso de conversión hacia el Señor y, al mismo tiempo, es la justificación de esta duradera vida temporal.

En oposición a todo esto, *la actitud de regreso* de Benavente hacia la intimidad por sí sola. La creación literaria cristiana tampoco rechaza la participación de la intimidad, en cuanto considera al arte como expresión de dentro a fuera, pero *ante algo que obliga al olvido de sí mismo* y que tiene en esto su mejor nota específica. El poeta no tiene una intimidad que expresar, sino que ella es medio de su expresión, pues al decir de Eliot, «es tan sólo medio y no una personalidad en la cual se combinan impresiones y experiencias en formas peculiares e inesperadas. Impresiones y experiencias importantes pueden no tener lugar en la poesía y aquellas que se tornan importantes para la poesía, desempeñan un papel muy insignificante en el hombre, en la personalidad». Con mayor precisión no se puede enunciar la quiebra del humanismo sentimental.

La creación literaria, como la de Jacinto Benavente, se transforma en un simple transporte de la emoción. La creación literaria es la expresión del sentimiento de incertidumbre, ante lo impersonal, ante el misterio que nos atrae, y que encontramos en todo lo que no es *nuestro,* pero sin recurrir a las razones y a los hechos de conciencia, tal como hace nuestro comentado autor.

La razón del sentimiento tomada como última razón, impide la fidelidad a las intuiciones metafísicas del alma, que el razonamiento desecha y que el «buen sentido» no admite. Por el contrario, el sentimiento como vehículo de expresión, es la conservación fiel de un modo de pensar que es alógico —locura de la sinrazón—, porque trasciende los límites del concepto frío. El sentimiento como medio, se hace extrarracional.

El sentimiento como medio expresivo de la creación literaria, porta nuestra capacidad de admiración ante el aspecto inexplicable de las realidades temporales y eternas. Sólo así puede llegarse a un concepto de Arte como *la realización de la semejanza de la creación respecto a Dios,* diríamos comentando a San Buenaventura (*Breviloquium,* I, c. 8. tomo V.).

He aquí que el Arte, la creación literaria es un ennoblecimiento del sentimiento integrado en la criatura. Benavente utiliza el sentimiento innoble, portador de aquella flaqueza sin justificación divina, sólo portador de impureza, como versión inequívoca del hombre. El sentimiento como norma absoluta adquiere una imperfección intrínseca, que es reflejo borroso, eco muy tenue de los actos completos y libremente determinados, siempre inferior a éstos al hacerse actual.

El sentimiento puede ennoblecerse, porque su última causa es una perfección; es un reflejo del acto humano más perfecto: el acto de amor ante el Bien.

El sentimiento puede considerarse como un «oscuro portador de intelección y tendencias en compleja pero apretada unidad». Benavente presenta al sentimiento, en una semejanza total con la doctrina de Jacobi, como suma unitaria de intelecciones y tendencias; y sentimentalmente presenta a sus personajes. Cada uno de ellos es una suma sentimental. El error benaventiano consiste en que rechaza toda otra posibilidad más amplia de conformación de la personalidad.

Aparte de los datos sensibles, como fuente de conocimiento, existen otras captaciones de índole moral, de una mayor complejidad, que nos ofrecen nuestros sentimientos y nos *sitúan* ante mundos extrapersonales.

Tiene, por lo tanto, la situación sentimental benaventina, una gran importancia. En el modo como está trabada dentro de la fábrica del teatro de Benavente, tiene su justificación temática. Su existencia la exige la valoración absoluta del sentimiento. El personaje queda situado, pero Benavente no lo lanza hacia el campo de la realidad inteligible según nuestros medios limitados, Benavente le hace regresar hacia la interioridad; es *la actitud de regreso,* de la que hablé más arriba.

Para que el sentimiento quepa en una concepción cristiana del Arte, es necesario que no se prescinda al tratarlo, de *lo sobrenatural.* Lo sobrenatural, es, precisamente, lo único que falta en el teatro de Jacinto Benavente.

Si lo sobrenatural falta, muchas circunstancias y posibilidades del hombre quedan sin integración en la obra de arte, o son justificadas erróneamente.

Al autor de *Los intereses creados* le exijo un concepto cristiano del Arte, y de la temática que libremente escogió entre todas. Cristiano es afirmar la nadería humana, pero no es cristiano ignorar la dimensión sobrenatural de esa nadería La visión católica de la vida no se adquiere con un esfuerzo frío de nuestra inteligencia. De nada sirve, si es así como llegamos a poseerla. «La letra mata al espíritu». Se adquiere vitalmente, como una adhesión rendida por amorosa, que es sentimiento ennoblecido. Si falta esta adhesión, ¿qué otra cosa encontraremos que un bracear inútil de la inteligencia, acobardada ante la magnitud infinita de lo que desconoce?

No hay ningún error humano tras el que sea imposible adivinar la luz escondida de la verdad. Es innegable que tras esta constante y universal *actitud de regreso,* existe la conciencia de que en nosotros mismos, en nuestra alma, hay un mundo sepultado, la Atlántida de nuestra conciencia de criaturas religadas al Señor. El milagro de la resurección de este mundo olvidado, que se ha buscado en la tierra estéril de tantos *ismos,* quiere encontrarlo Benavente alrededor de sí mismo, o en sí mismo, para encontrar allí la fuente de su arte.

No es la asfixia del individuo en esta hora de nuestra civilización, lo que agobia la conciencia, sino la pérdida de valor que sufren hace tres siglos, todas las realidades terrestres que convienen al hombre. El Arte es una de estas realidades en peligro, y acaso la más importante, la que exije por sí una mayor urgencia en su recristianización, porque es la realidad terrestre que aumenta en el hombre el caudal de confianza en el alma. Y sólo así podrá salvarse el Arte, y también el hombre del triste destino que le aguarda como héroe mecánico de una gesta sin especie, como muestrario de «complejos».

Estamos ante el último capítulo sin escribir, de una etapa de la historia del Arte. Los artistas tienen la palabra. Que preparen bien sus almas, para que el capítulo sea de páginas de gloria y no cántico fúnebre por la muerte de toda esperanza.

Ante mí tengo dos textos de la máxima contemporaneidad, que reflejan con una claridad singular, las consecuencias de los dos modos de concebir la participación del sentimiento en la obra de arte. Aquel que lleva un olvido de las excelencias sobrenaturales de la criatura; aquel otro que no crea un humanismo, sino fundamenta su intención y aportación emotiva en un modo fino y sincero de entender la vida, el hombre, como una realidad que sólo tiene vigor y sentido, religándose con el Señor. Los dos textos literarios muestran la enumeración como recurso estilístico. El primero. enumera caóticamente, analíticamente; su intención biológica es evidente; la síntesis atomizada que ofrece tiene un marcado sentido pagano. El texto es de Walt Whitman:

«El sexo lo contiene todo, cuerpos, almas,
significados, pruebas, purezas, ternuras, resultados, promul-
[gaciones,
cantos, órdenes, salud, orgullo, el misterio materno, semen,
todas las esperanzas, favores, dádivas, todas las pasiones,
[amores, bellezas, delicias de la tierra».

El otro texto es de Paul Claudel, que ha sido considerado como no católico y profanador de la pureza estilística del francés, luego del homenaje del Vaticano, por una ligereza del sacerdote François Ducaud-Bourget, en un libro titulado *Claudel, est'il un écrivain catholique?* El texto, que enmienda toda sospecha, es el siguiente:

«Je chanterai...
Le grand poème de l'homme en fin par delá
les causes secondes reconcilié aux forces
éternelle». *(Cinq grand odes pour saluer le siècle nouveau,* I, 1910).

3. Arte y Humanismo.

Inútil parece esta pregunta: ¿El Humanismo es incompatible con el Arte? Si por Humanismo entendemos la participación inevitable de lo que al hombre concierne, hay compatibilidad. Porque lo único que al hombre concierne es la sobrenaturalización propia, su alma, su principio sobrenatural. Y así, no sólo serán compatibles Arte y Humanismo, sino que se realizará la creación literaria, como una semejanza de la divina, misteriosamente intuída por el poeta.

El único ambiente propicio para la creación literaria, la «única patria verdadera» del Arte, es el mundo de la criatura. No humanización; no personalización. Criaturabilización.

Lo sobrenatural integrado en la obra artística, no es una noción o un concepto friamente racional y razonadamente alcanzado. Si así fuera, no sería portador de una trama sentimental, emotiva y afectiva, por la que es asequible a la inteligencia humana. Esta carga de sentimientos, emociones y afectos, al tomar cuerpo vivo en la obra de arte, lleva la fuerza trágica y agónica de la vida creada y real. Lo sobrenatural escondido tras la criatura, es una noción motora de afectos, por lo que se hace familiar, y se nos muestra extraña, e inconscientemente, esperada desde lo más íntimo. Su realidad sobrehumana se percibe en el mundo moral que provoca en la criatura.

Y si es el enigma —en el limitado y equívoco sentido de este término— lo que provoca la creación benaventiana, el conjunto de las fuerzas creadoras del individuo «humanamente» considerado, será la mejor arcilla para modelar su vida enigmática. Pero lo individual, sin grandeza ni proyección metafísica alguna, priva a lo humano del atributo de moralidad; es, tan solo, inmoral. Y aquí unas palabras de Pío XII: «Nada diremos aquí del arte inmoral, que somete y esclaviza las potencias del alma, poniéndolas al servicio de las pasiones carnales. Por lo demás, «arte» e «inmoral» son dos términos en abierta contradicción». (Discurso en el I Congreso Internacional de Artistas Católicos, 6-IX-50.)

El Arte que, como el de Benavente, busca la perfección en su perfección expresiva, lleva en sí mismo las mayores contradicciones, que vamos exponiendo. Y la mayor, de tan trágicas consecuencias, es ésta: la de ver su fin en sí mismo, por lo que se ve «condenado a moverse y arrastrarse a ras de las cosas sensibles y materiales; como si por el arte los sentidos del hombre no obedeciesen a una vocación más alta que la de la simple aprehensión de la naturaleza material: la vocación de despertar en el espíritu y en el alma del hombre, gracias a la transparencia de la naturaleza creada, el deseo de lo que «ni el ojo vió, ni el oído oyó, ni la mente del hombre» (I Cor., II, 9). Hasta aquí las palabras del Santo Padre.

El Apóstol Pablo añade en el texto citado: «Lo que Dios ha preparado para los que le aman». Este Humanismo de dilección, que ya no lo es, que es Teandrismo, es el que engendra la mejor obra de arte.

Aquella que lleva el más alto sentimiento: la caridad, que es unión. Y la unión que ha de producir el sentimiento. La función expresiva de éste, será la auténtica, la única posible, si ayuda a criaturabilizar al hombre. Esta criaturabilización, que no hay nunca en Jacinto Benavente, es el enemigo victorioso siempre de ese horror terrible del anonimato; horror al anonimato que es el motivo de ese creciente interés por el hombre.

La criaturabilización es el camino de mostrar nuestra alma, atribulada por la pasión del destierro. Expresar esto: he aquí el Arte, que no alcanzó a entender Benavente, por miedo a perder su personalidad.

La obra de arte así entendida, es «la expresión más viva, la más sintética del pensamiento y del sentimiento humano, la más ampliamente inteligible, ya que hablando directamente a los sentidos, el arte no conoce la diversidad de lenguas, sino la diversidad extraordinariamente sugestiva de temperamentos y mentalidades», con un mismo misterio ante su inteligencia, que San Pablo expresó así: Porque desde la creación del mundo, lo invisible de Dios, su poder y su divinidad, son conocidos mediante las criaturas. (Rom., I, 20.)

En fin, el arte de Benavente va en busca de la expresión de lo particular, de lo que niega toda sobrenaturalidad a la criatura. Se enfrenta con todas estas cuestiones problemáticas que hemos analizado, y que bien pueden resumirse en una sola: expresar el análisis del enigma y las fases de este análisis.

Esta cuestión es la que impulsa a la obra total de Benavente por el camino del Humanismo sentimental pagano. Su obra resulta un montaje ajustado de todas las piezas sin unidad íntima, absoluta. Todo el esfuerzo se ha perdido en su discontinuidad.

Benavente ha tenido la virtud de entroncar su obra, su temática, en la misma carne, torpemente equivocada, del cuerpo pagano de nuestro tiempo. He aquí su actualidad. Pero acaso de su obra y de nuestro momento literario pueda decirse lo que W. A. Zbyszewski (Semanario «Wiadomosci», número 34/229, 20-VIII-1590: *Ou côte de chez Gide*), que no cree en la grandeza de André Gide, ha dicho de este acristiano autor francés:

«Hay escritores que al morir se quedan cada año más pequeños, y otros que crecen con el tiempo. Es muy aleccionador seguir el desarrollo de estas tendencias. Tengo la impresión de que pasados unos cuantos años nadie podrá comprender cómo fué posible hacer tanto ruido alrededor de Gide. Hasta su estilo, hoy día tan elogiado, va a parecer frío y cadavérico, ya que jamás le da vida una pasión o sentimiento. El refinamiento estilístico no constituye por sí solo ningún título para la inmortalidad. Pasado algún tiempo, siempre quedará en la historia de las letras como un ejemplo del mal gusto, incapaz de sobrevivir a su época.

»Si los entusiastas de Gide tienen razón, lo que yo les estoy negando y el autor de *Les Faux-monnayeurs* es, efectivamente, el primer escritor contemráneo de Francia, esto querrá decir que la decadencia del gran pueblo galo es mayor aun de lo que se creía y que las fuerzas dinámicas que han creado su cultura han desaparecido por el momento.

»Personalmente creo en el resurgimiento y en un gran porvenir de Francia. Creo que el mundo necesita de su genio, de sus ideas claras y de su humanismo deslumbrante, y que el pueblo francés volverá algún día a lo que fué durante siglos.

»Creo que lo mismo que las actuales crisis políticas, indignas de la Francia verdadera e inmortal, va a desmayarse también la fama artificial de Gide, convirtiéndose en la página más triste y justamente olvidada de la historia nacional, en el momento más triste de su decadencia pasajera».

CONCLUSION

Benavente, Premio Nobel, autor, primerísima figura de las letras españolas.

De *Nido ajeno* a *Mater imperatrix*. Generación del noventa y ocho. Modernismo. *Vida literaria*. *Madrid cómico*. Revistas. Afanes de lucha. Discusiones. Una vida de trabajo: una obra.

Pasará más tiempo. El tiempo trae siempre interrogaciones, incógnitas.

Bajo este paisaje nevado de las letras españolas, ¿se esconde el aliento oculto de una resurrección intelectual y literaria, como bajo el invierno late la vida oculta de mayo?

Benavente ha trazado un camino. En su obra nos ha enseñado una lección discreta: esos sentimientos que brotan de nosotros son retoños efímeros de una vida, porque todo en la vida es efímero.

Efímero el vuelo de la mariposa. Efímera la vida de las flores, aún de aquellas acacias que dormitan insensibles al frío en torno, en los invernaderos. El vuelo y la flor, sólo quieren ser flor y vuelo. ¿Qué importa la vida de la mariposa, qué importa la perseverancia de la flor que muere todos los días para brotar mañana en otra flor idéntica?

¿Qué es antes, el vuelo y la flor, o la vida? Gira la peonza, gira. ¿De dónde surge el impulso de su danza efímera, de sí misma o del zumbel que la impulsó? ¿Dónde está la última razón de los personajes; en su apariencia sentimental, en sí mismos, en la fuerza creadora que les dió impulso?

La mariposa no puede cruzar el mar; la flor ya no lo es, para nuestro bien o nuestro mal; la peonza, tras girar alrededor de sí, de nada, cabecea, y cae.

No podremos saber nunca si las tramas de líquenes y musgos, se gozan de que el agua las enjoye; ni nadie nos dirá si los chopos crecen para alcanzar las nubes o para mirarse mejor en las aguas del río. Benavente tampoco sabrá decir el porqué de sus aciertos y la razón de sus errores. En estas páginas hay una imagen de su obra. Su obra está al alcance de todos.

Si Benavente ha ocupado un puesto en la primera línea de la literatura española, ha sido por un hecho tan natural —siempre ignoramos lo mejor de la vida— que no se repara en él: todos los hombres siguen su camino con el deseo de que alguien les diga la verdad de su vida. Benavente lo ha dicho:

la gente quiere *verse* en el teatro; y añadió —tristemente—: no como es, sino como cree ser.

Pero lo mejor de la obra de nuestro Premio Nobel se deslíe en un afán de perdurar. Sólo así se explica su deseo de ofrecer en su temática todas las formas del teatro contemporáneo extranjero, y aún muchos de sus temas más conocidos.

Esta sumisión a modos y modales extranjeros, impide que se pueda considerar a Benavente como un renovador, y tampoco podremos encontrar en su obra motivos y razones para trazar un paralelismo con Ibsen, Pirandello, Shaw.

Por otro lado, es verdad que puede presentarse a Benavente como un colador con la rejilla rota, de todas las tendencias y movimientos literarios que desde 1860 hasta 1920 han creado el punto muerto, de la falta de horizontes de una nueva literatura. Considerar así a Benavente hubiera parecido que le concedía la importancia que no tiene: la de ser el introductor en España de todos estos movimientos literarios. Si hubiera sido así, otra suerte sería la de la actual literatura nuestra. Pero la falta de formación hizo que Benavente no realizara esa síntesis de todos los movimientos que le influyen, sino que de ellos sólo escogió lo superficial y por eso no sintió la necesidad de hacer la crítica de todos los errores que contenían, con lo cual hubiera creado un ambiente de reacción entre nuestros literatos frente a lo extranjero, reacción que los hubiera llevado a buscar los motivos y los temas de sus obras literarias en nuestra personalidad nacional. . .

Porque Benavente fué un simple expositor superficial de lo ajeno, es el responsable de que nuestros escritores, lejos de internarse en lo español genuino, hayan abierto los ojos asombrados, intentando asimilar lo que no era nuestro, ni podía serlo.

Ya vemos qué relación puede establecerse entre Benavente y nuestra literatura. Respecto a esa literatura sobre la que no tuvo ninguna influencia magistral.

¿Puede ser maestro de nuevas generaciones quien niega y rompe con la continuidad tradicional? ¿Puede enseñar algo aquel hombre que juega con las ideas que maneja, ya ni siquiera para ofrecerlas al público, sino para brillar y asegurar su puesto en primer plano? ¿No habría que repugnar apasionadamente —pasión por la verdad—, la obra que mintió y engañó a sabiendas?

Porque, ¿dónde está la verdad, en *Santa Rusia* o en *Aves y pájaros*?

Oigamos al maestro, por última vez. En *Santa Rusia* (1932): «¡Rusia, Santa Rusia, siempre santa! Eres admiración del mundo, espanto, odio tal vez»; «El odio es un aspecto del amor, amor que no comprende, despecho de la ignorancia, del humano vano deseo de afirmar; pero en el desconcierto del mundo, tú eres, ¡oh, Santa Rusia, siempre santa!, la única afirmación»; «Redentora de tí misma...»;

«Cristo eres tú mismo, pueblo ruso»; «Mi oración por tí, ¡Santa Rusia!», «y digamos con Briusow, vuestro poeta revolucionario: ¡Admiración y amor para estos hombres, aunque os parezcan brútales; admiración y amor para sus odios; admiración y amor para sus venganzas!...»

Oigámosle en *Aves y pájaros* (1940): «El espíritu... necesita... una gran limpieza general: arrinconar trastos viejos... las guerras, las revoluciones, que tanto nos consternan al padecerlas, acaso sean para los pueblos esa limpieza necesaria a los espíritus...»; «...la culpa fué de todos; de unos, por lo que hicieron; de otros, por lo que dejamos hacer... muy confiados de que aquella mala semilla no prendería nunca»: la semilla que sembró en *Santa Rusia.*

Pero todo se comprende, porque «el teatro es para olvidar. Yo cuando quiero olvidarme de todo, voy al teatro».

NOTAS BIBLIOGRAFICAS

1. «A. B. C.» (19-IV-1916): *La ciudad alegre y confiada.*

Modelo de crítica perjudicial a los autores... a la Verdad:

«Este hombre excepcional, que acierta como nadie a sorprender nuestra curiosidad, a producirnos toda la gama de las sensaciones, que con su hilillo de oro va enlazando y entretejiendo burlas, martingalas, sentencias, ironías, avisos ejemplares, máximas de buen gobierno, lecciones saludables, en copioso caudal, es el que apareció en el escenario del Lara, instaló su retablo y volvió a reanudar con sus muñecos la fábula de *Los intereses creados* en los puntos suspensivos que su ingenio puso.

»Habréis advertido en las claras transparencias de la farsa, donde los muñecos parecen hombres y los hombres muñecos, cuán grande y terriblemente implacable y flageladora es la comedia del maestro Benavente, y el arte enorme, inmenso que es necesario poseer para decir cosas que tan substancialmente nos entrañan, y concertar en una sola dirección el delirante frenesí que produjo tan magistral comedia de saneamiento e higiene moral, de tan levantado y arrogante espíritu, que realiza en su más virtual sentido una cuestión *pro patria* del más acendrado españolismo».

2. «A B C» (5-III-1915): *El collar de estrellas.*

Puede verse lo que Ramón Pérez de Ayala opina de esta obra, en *Las máscaras,* para confirmar la atonía y vaguedad de la crítica periodística.

«*El collar de estrellas,* una comedia que lleva vinculada a su acción representativas significaciones, valores, símbolos, de los grandes abstractos, que son eternos afanes de justicia, de renovación, de saneamiento de los pueblos.»

3. «A B C» (13-XII-1913): *La Malquerida.*

Las palabras que a continuación cito, dan testimonio de la atonía de la prensa católica, al intentar —intento frustrado siempre— formar una opinión que sólo conseguía que fuera mediocre:

«...el drama, que se resuelve con una situación tan interesantemente dramática y nueva, que en el público produjo una gratísima impresión. El carácter de Acacia, que el autor mantiene en una vaguedad, en una impresión habilísima durante toda la obra, con la destreza de un taumaturgo, se descubre francamente a la terminación del drama en un efecto tan sorprendente como teatral.

»Pero no hay otro modo, a mi juicio, de llegar a la solución del conflicto. Benavente no podía conducir su obra hacia un final burgués y plácido con el comentario de una moraleja. La obra acaba como debe acabar, con la salvaje, frenética, explosión de aquellas dos almas, en cuyos labios ha florecido el beso del pecado.

»El drama, escrito con admirable propiedad de lenguaje, va conciso y rápido siempre a la entraña del asunto, con un vigor y una expresión precisos.»

Otros supieron ver en el lenguaje de la *Malquerida*, algo ficticiamente popular, rural, como en *Señora ama*.

4. «A B C» (23-XII-1915): *La propia estimación*.

Ejemplo de crítica contradictoria, porque voluntad y conciencia no son sinónimos en el plano moral nunca.

«Responde el pensamiento de esa hermosa comedia, escrita con una gran serenidad de espíritu, atenta a lo más recóndito e íntimo de nuestro ser, a restaurar en la conciencia todos los fueros de la hombría de bien, a colocar por encima de nuestras pasiones y bajos apetitos la voluntad, que bien disciplinada sería el mejor regulador de nuestros actos, apartándonos de peligrosas sugestiones. Para ello preciso es desposeerse con noble rectitud de cuanto hay en nosotros de viciado y torpe, y de este modo, con la tranquilidad de nuestra conciencia, ganaremos nuestra propia estimación, la más grande satisfacción que en nosotros mismos podemos darnos.»

5. ARAUJO-COSTA, Luis: *El teatro de Benavente*. «Cosmópolis», núm. 2 de enero de 1928. Madrid.

6. BAROJA, Pío: *Divagaciones apasionadas*. Madrid, 1927.

Dice de *Alma triunfante:*

«Es un drama gris, triste, verdaderamente deprimente...; sus hombres y sus mujeres son figuritas resignadas, que sufren en un infierno de hielo bajo un horizonte de plomo..., me parece mal esta representación gris de la vida, sin grandeza, a mí, que no voy con los viejos y que no quiero continuamente el tono mayor y la charanga estrepitosa a cada momento» (p. 240).

7. BUENO, Manuel: *Alma triunfante.* «Heraldo» (2-XII-1902).

¿Por qué hoy se han olvidado de lo que dijeron los contemporáneos de la época más *gloriosa de Benavente,* en aquellos años en los que iba mereciendo el Premio Nóbel? :

«Aplaudir *Alma triunfante* equivale para la multitud española a reconocer una apostasía. Es renegar de una tradición dramática para acogerse a otros gustos.»

8. C. y U.: *El nido ajeno* «El Nacional» (7-X-1894).

«El nido ha fracasado; el arból, no.»

«...hay ingenio, observación y delicadeza y no falta el interés, hay valentía en el plan y condiciones, en fin, que dejan vislumbrar un buen autor dramático.»

9. C. L.: *La melodía del jazz-band.* «A B C» (31-X-1931).

«Benavente se limita a ofrecer a los espectadores la expresión eterna de este proceso psicológico, sin hacer, como suele, la psicología de sus personajes, y así resulta que su última comedia es, por la forma, una de las más sencillas y agradables que han salido de su pluma. Citaríamos para demostrarlo, varios pasajes. Pero el más característico es la escena del acto tercero, en que Lucila, inconscientemente, va repasando, con amoroso deleite, los recuerdos amorosos.»

10. CASTELLANO, Juan R.: *El teatro español desde 1939*. «Hispania», agosto 1951, vol. 34.

1. Hace una reseña de las obras de autores noveles de postguerra.

2. Llega a la siguiente conclusión, que, entre otras obras, nos afecta a nosotros: «que fuera de estos teatros (los subvencionados), la escena española vive de ruinas (Benavente, los Quintero, Marquina, Muñoz Seca)», y apoya su conclusión en González Ruiz, *La cultura española en los últimos años: el Teatro*, que comentamos más adelante.

11. CAVIA, Mariano: *Gente conocida*. «El Imparcial» (22-X-1896).

«No, *Gente conocida* no es en rigor una comedia, ni por el pensamiento que la alienta, ni por los caracteres que la determinan, ni por la acción en que se desarrolla.»

Estas opiniones, más bien opuestas a Benavente, nos hacen pensar en un hecho que los actuales periodistas parecen haber olvidado: que había quienes, con mejor formación intelectual y mayor prestigio profesional, ni ocultaron aquélla ni menoscabaron éste, juzgando con justicia a Jacinto Benavente.

12. CRÓNICA LITERARIA: *La comida de las fieras*, de Benavente. «La España Moderna», páginas 168-169, núm. 121. Madrid, enero 1899.

13. CRUZ, Santiago de la: *Santa Rusia*. «Heraldo» (5-X-1932).

A continuación van algunos datos de una entrevista con don Jacinto, en el día antes de ser estrenada *Santa Rusia*. En los titulares se lee:

«El espíritu religioso es lo que ha inspirado al ciudadano ruso para la revolución, es el tema de *Santa Rusia*».

Dice Benavente, contestando a las preguntas:

«Si es que de esta obra no pienso, más ni menos, que de otro cualquiera de las mías. No es sino una hermana de las demás.»

«Toda obra tiene un tema: el que sea. Y el de ésta es las inquietudes de los emigrados rusos refugiados en Londres en 1903, cuando fueron visitados por Lenín, que llegaba expulsado de Bruselas. Me parecía muy interesante llevar a la escena aquellos magníficos momentos de los precursores de la revolución rusa, y lo he hecho. Eso es todo.»

«Creo haber hecho un estudio del espíritu religioso que ha inspirado al ciudadano ruso para la revolución. Religión, fe, creencia o devoción hacia un poder sobrenatural, de materia o de idea, que es lo que ha encauzado el esfuerzo de aquellas gentes.»

Después de esta entrevista, la crítica publicada en el mismo diario, el día 7 de octubre de 1932:

«Comentario, creo, que no debe hacerse en caliente, sino tomándose un buen huelgo de meditación serena, ya que ni un autor de la calidad y la profundidad de don Jacinto ni una obra del generoso ambiente humano, universal, que palpita en la estrenada anoche, a mi leal sentir, sinceramente dramática, de angustioso buceo del escritor en su propia conciencia frente al extraordinario hecho renovador de la nueva Rusia, no pueden ni deben juzgarse con la pasión combativa y cegadora que, por humanos, no puede sernos ajena, en una u otra dirección, a los que ejercemos una función de dictamen.

»En mi caso particular, verbigracia, me acerca a la comedia de Benavente el espíritu de comprensión, de amor, con que se ha inclinado el viejo y glorioso maestro sobre los círculos de dolor insondable del alma rusa; pero me empequeñece esta visión al comprobar cómo don Jacinto, en lugar de darnos una visión genial, como suya, de Lenín, se limita a hacerlo pasar por la escena como a un personaje episódico, sin grandeza ni altura sustantivas; y cómo, en cambio, se comenta —¡a estas fechas del desengaño histórico de las monarquías!— de que los reyes hayan caído en el error por no haber tenido cerca quienes les dijeran la verdad de su pueblo. Afortunadamente, querido don Jacinto, o providencialmente si usted lo prefiere, gracias a sus malos consejeros, los reyes van desapareciendo de la tierra, rodando con corona y cetro, al abismo, como el caballero de Loreley. Y un corazón traspasado por el dolor universal, como el de usted, un alma recta y noble, como la suya, como la del Lenín de su obra, que cree sobrado motivo para acometer la revolución social el que unos limpios de toda culpa sientan hambre en una buhardilla misérrima del lujoso Londres, no debiera sentir pesar alguno porque las dinastías, engañadas o no por sus lacayos, desaparecieran de sobre la faz de la tierra.

»Pero estas mías serían consideraciones personales, tan gratuitas y ajenas al menester juzgador, como los que inspirados por un sentimiento monárquico, hacían anoche a algunos espectadores aplaudir rabiosamente alguna frase de anfibológico sentido político y a otros, en los momentos menos logrado del desarrollo, dar vivas de Stentor a la *Internacional*. No; *Santa Rusia* —que tiene en sus entrañas la suprema virtud germinosa, la contradicción agónica, antagónica de los grandes temas discutibles y discutidos— no debe juzgarse en estado de pasión. Además, que por su misma intención polémica no es obra que pueda darse por acabada, por «Lista para sentencia», en la noche de su estreno. *Santa Rusia* empieza ahora su vida, y cada representación irá completándola con la colaboración del público, en su profundidad, su intención y su alcance.»

14. CUEVA, Jorge de la: *Santa Rusia*. «El Debate» (8-X-1932).

«El Debate» supo ver y oír en *Santa Rusia:*

«Don Jacinto enfoca a Rusia... la mira a través de todo el sedimento liberal del siglo pasado; toda la obra parece del siglo pasado, con un peso de liberalismo lírico y sentimental, y estos dos elementos son los que informan y dan tono a la comedia. Sentimentalismo en el fondo y en el asunto y lirismo en la frase más sonora, efectivista y aparatosa que convincente y llena de contenido; es decir, más apropiadas para llegar al sentimiento que para impresionar la razón.

»Pero lógicamente pensando, más vida de catolicismo, más sedimento de religiosidad que de liberalismo deben pesar sobre el autor y con más fuerza aún, y, sin embargo, de éste ha prescindido por completo, tan totalmente, que su actitud es franco ataque, tan claro y evidente, que no es ya en la acción y por boca de sus personajes donde la muestra, sino por sí propio, en la oración a Rusia, leída por él, donde en lo conceptuoso y alambicado de algunas frases, más que el escepticismo vibra la blasfemia, una blasfemia lírica, sentimental, que parece henchida de compasión y que viene a ser un canto de odio, que habla de espíritu de justicia, de cosas inmateriales, y que son como una exaltación idealista del materialismo.

»...él quiere mostrarse neutral y para ello se envuelve en un olímpico eclecticismo pesimista, a través del cual, por ese indispensable reflejo del propio sentimiento y de la propia mentalidad, se advierte la admiración por el sentido liberal y tolerante de Inglaterra, el país de la ley garantizando la libertad a todos.

»Dentro de esta atmósfera gris, cada pensamiento tiene su contrapeso y su contestación; en lo que parecen de acuerdo con triste constancia todos, es en la actitud antirreligiosa. La idea de Dios no tiene en ese páramo espiritual más defensa que una pobre judía, que ni siquiera sabe razonar su fin, y esta negrura espiritual se completa con la constante vibración del odio.»

15. Ch.: *Viaje de instrucción.* «El Imparcial» (7-IV-1900).

Otra vez más hay que poner en duda la originalidad de Benavente. Bien podemos preguntarnos: ¿se aprovechó Benavente de la mediocridad intelectual española para labrarse un nombre que los advertidos ponen en duda?

No deja de ser curioso que toda la crítica coincida en advertir el mal gusto de las «ingeniosidades benaventinas»:

«*Viaje de instrucción* no es más que una adaptación de *La educación de un príncipe,* de Mauricio Donnai...

»Por creer que una zarzuela chica no puede defenderse sino con chistes de la más terrible de las crudezas, se fué el «eminente literato» tan al campo de los más adocenados de los «cuminches», que tuvo el público que recordar todos los respetos que debe al incisivo escritor para no tratarle con la dureza que en más de una ocasión emplea con aquellos desgraciados.»

16. D'Amico, Silvio: *Storia del teatro contemporáneo.*

«La versatilidad de Benavente lo ha llevado, poco a poco, a asimiliar los más diversos escritores, y las más disparatadas corrientes espirituales y estéticas de su tiempo...; tanto que su fecundidad se resuelve en una extraordinaria habilidad, sin una verdadera, personal, profunda visión del mundo y de la vida.»

Carácter fundamental: «prodigiosa variedad de los caracteres y de los estilos.»

17. Eguía Ruiz, Constancio, S. J.: *Literaturas y literatos.* Ed. Sáenz de Jubera, Hnos. Madrid, 1914. Cap. V: «Un dramaturgo en la Academia: don Jacinto Benavente» (páginas 281-310).

1. Lo que movió a escribir al Padre Eguía Ruiz unas páginas sobre Benavente fué la designación de éste para ocupar el sillón vacante de Menéndez Pelayo, en la Academia. El P. Eguía Ruiz comenta así el hecho:

«Los señores académicos, al depararle nada menos que el sillón insigne que dejó vacante en mal hora don Marcelino Menéndez y Pelayo (Es la silla «1» de las de más reciente creación, y sólo ocupada hasta ahora por Hartzenbusch y Menéndez y Pelayo), se conoce que han pensado que el genio creador sustituye dignamente al genio investigador y crítico; el suscitador de centenares de personajes en las tablas, al clasificador de los personajes incubados por el espíritu de los grandes dramaturgos en épocas gloriosas.

»A muchos católicos hubo de parecerles que no era don Jacinto el más apropiado sustituto de Pelayo, por estar aquél orientado algo hacia «afuera y hacia adelante», y haber sido éste acérrimo sustentador «de lo tradicional y de lo nuestro». Es más: les pareció que no era el más indicado para «limpiar el lenguaje, fijarlo y lustrarlo» el hombre tachado por muchos de laxo en moral estética, errático en opiniones y desacreditador de instituciones seculares. Pero eso mismo prueba acaso la «real» munificencia de la docta corporación, y cuanto desafinan los que, a propósito de haberse cerrado a otros la puerta, hablan, como Tomás Borrás («La Tribuna», 23 de enero: «*Azorín*» *y la Academia*), del «gabinete negro de la Academia», o, como el mismo Benavente (*De sobremesa*, 3.°, párrafo 20), llaman a determinado académico «cabeza parlante del grupo ultramontano». (Páginas 282-3.)

Así, pues, estas palabras reflejan un ambiente de polémica que contrasta con la apatía abúlica actual, a la que todo parece bien.

2. Hablando de *Gente conocida,* Eguía Ruiz recoge el propio testimonio de los actores, y del mismo Thuillier, a quien «no *convencía*» la obra:

«Vino la intentona de presentar en la Comedia aquella otra pieza, que primitivamente se llamaba *Todo Madrid,* y después por escrúpulos de la dirección artística se llamó *Gente conocida.* A los actores, incluyendo el mismo Thuillier, no les *convencía.* Susurraban que la obra se iría al foso común... Sólo el autor, según luego declaró en la misma dedicatoria, esperaba tranquilo el éxito con su apacible sonrisita.

»Benavente se abrió camino, sin notable quebranto de su ecuanimidad. A pesar de los escrúpulos de los críticos, que veían en sus obras el elemento satírico más que el dramático, y el diálogo sereno más que la acción movida; el público, desde luego, se fué con él, otorgándole una serie de triunfos, de los mayores del teatro contemporáneo» (p. 287).

3. La crítica del momento dudaba de la originalidad creadora de Benavente. Ejemplo de ello son las palabras siguientes de Eguía Ruiz:

«...desde París, el señor Gómez Carrillo, aludiendo a lo que, según él, tenía de común *La comida de las fieras,* de Benavente, y el *Repas du lion,* de Curel (Véase el número del 8 de diciembre de *El Libro Popular,* artículo inserto en la cubierta con el título de *El príncipe de los dramaturgos*). Ligerillo debió de andar en la imputación el bueno de don Enrique, fiándose de amigos mal enterados, y dió lugar a que, en los días precisamente de la celebrada condena de *El Liberal,* se hiciese de su información un nuevo argumento para desconfiar más y más de ciertos periódicos y de ciertos corresponsales... Otro, que no fuera el autor de *Los intereses creados,* acaso (como teme Carrillo) hubiera rehusado las excusas y acudido a la saludable indemnización de los treinta mil. Benavente no creyó por eso amenazados sus *intereses*, y se limitó a negar en redondo y a apelar a la prueba, porque: «Mi vaso (dice, como Musset) es pequeño, pero bebo en mi vaso; y en esto de traducciones, arreglos e inspiraciones, he llevado siempre mi escrupulosidad hasta indicar como ajenas, obras que, por su plan, por sus personajes, por todo lo que constituye la originalidad de una obra (Shakespeare y Molière son ejemplos que pudieran autorizarme), bien hubiera podido firmar como originales» (*Acotaciones al Nuevo Mundo*, entrega del 19 de diciembre de 1912)». (Pág. 289-290.)

Benavente respondió siempre con evasivas a la crítica.

4. Más sobre la originalidad:

«En cambio, por las razones expuestas, él mismo confiesa la afinidad de alguna escena en *La señorita se aburre* con una poesía de Tennyson, y de *La copa encantada* con Ariosto; y amigos suyos, sin gran protesta, le han señalado coincidencias de *La comida de las fieras* mismas con *Les corbeaux*, de Henry Becque; de *La gata de Angora* con *Mensanges*, de Bourget, y del *Cuento de amor* con el admirable *Twelfth Night*, del eximio dramaturgo inglés, y del prólogo de *La noche del sábado* con algo del gran Shelley.» (Pág. 291.)

5. Sobre la influencia de Shakespeare en Benavente:

«Imitación de Shakespeare hay derecho a esperarla en Benavente, porque le tiene afición rayana en culto y el culto a una deidad artística dirige la pluma según sus trazos. Acaso le ha prendado su misma originalidad absoluta, su genio poderoso. Ahí radicará, pues, su conato de imitación. Pero Benavente, al reconocer lo peculiar de Shakespeare, así como huye del fatuo desdén de Voltaire y de la condenación dogmática del estrambótico Tolstoi: así no participa de la opinión del superhombre, del *monstruo* inconsciente, que merece a Frank Harris, a Paul de Saint-Víctor, a Carlos Lamb, y por eso no en todo le imita. No le enfoca, v. gr., cuando actúa de cincelador de joyeles; no cuando se pierde en las selvas con Calibán, o lanza rugidos de tigre con Otelo, o se arrastra por la verde hipocondría de Hamlet, sino cuando evoca con nombres eólicos, doncellas aladas, Ofelias, Cordelias, Jesicas, Rosalindas, y cuando borda preciosos arabescos de eufónico estilo: en una palabra, no cuando exhuma los genios vetustos y trágicos de la Historia, sino cuando penetra en el alma humana y esclarece sus arcanos con certero golpe de observación humorística y sincera.

»Pero, aun dentro de ese campo, cada dramático queda siendo *él sólo,* y nunca será confundible la indiferente bondad del inglés, tan propia de los grandes genios antiguos, con la maliciosa ironía ecléctica de nuestro vate moderno.» (Pág. 295.)

Eguía señala con toda claridad las diferencias fundamentales entre el genio y su «figulina»; ni siquiera su imagen.

6. Eguía Ruiz y Pérez de Ayala, coinciden al opinar de la *variedad* temática de Benavente:

«Otra cualidad que le adorna, nacida de esa gran dote paradójica de asimilación original y personalísima, es un *espíritu variado y flexible* que reviste gran número de formas artísticas, y lo mismo arremete con un drama fantástico o con una comedia de costumbres, que con un drama de tendencia o con un boceto fugaz e incoloro. Abrid cualquier volumen de su teatro; por ejemplo, el tomo décimoquinto. Cuatro producciones lo componen: *La princesa sin corazón, El amor asusta, La copa encantada* y *Los ojos de los muertos.* Tenéis, pues, un caprichito literario, una comedieja de amores, una zarzuela basada en un cuento de Ariosto y un dramón hondo y sombrío de corte pasado. Nada menos uniforme, llano y homogéneo.

»Por eso la censura justa de este hombre desconcierta más de una vez a los críticos, y no saben a qué carta quedarse, si atribuirlo a las mudanzas de la moda y al afán por su parte de captarse el público caprichoso; o a la varia cultura del autor, que le dicta esos cambios en la elección de temas y esas novedades de técnica teatral. Si nos atenemos a algunas de sus declaraciones sobre los resortes y secretos de prevenir el gusto del público que tanto parece preocuparle, nos decidiremos por la primera razón. Pero no es necesario separaralas, porque ambas caben en un costal: el seguir la opinión del público mudable y el opinar variamente lo que ha de gustarle o lo que deberá gustarle infaliblemente, si está bien hecho.» (Pág. 296.)

Eguía cree que esa variedad lejos de ser riqueza temática, es simple *versatilidad* de una inteligencia falta de formación (pág. 297). De la versatilidad nacen dos defectos «feos y repugnantes»: la incongruencia y la contradicción. Pero acaso la versatilidad de Benavente, tenga una causa más profunda, que el mismo Eguía llama *diletantismo pesimista* (página 298), manifestado encubiertamente bajo una *afectación,* que la poesía del diálogo no destruye, más bien se perjudica con ella. (Pág. 299.)

7. Algo se dijo en estas páginas del concepto que el propio Benavente tenía de su oficio. Eguía se pregunta:

«¿Por qué no usar. y nunca abusar, de la superioridad sobre el vulgo?...»

«Nuestro hombre se quejaba cierto día de que se habla mucho de hacer humanidad, sociedad y patria, que son abstracciones, y no se preocupe la masa directora de hacer antes buenos hombres...»

Y añade Eguía:

«Mas habrá que resignarse a admirar la defección humana en este hombre, que sabe lo que debe hacer y no siempre *quiere hacer* lo que sabe que debe...» (Págs. 300-301.)

8. Eguía Ruiz, al señalar la falta de sentido de responsabilidad de Benavente, dice:

«Porque la sabiduría y dones de la mente no se reciben del cielo como dádiva que nosotros podamos prostituir o malvender, sino como joyas prestadas que, luego de talladas y bien bruñidas, los descendientes han de heredar; y, el hacerlo de esta suerte, no es tanto liberalidad de ingenio generoso, como razón de muy debida justicia, y «el hacer lo contrario, dice un gran literato, si no es destruir el mundo, es querer a lo menos que sea bárbaro.» (Pág. 302.)

Esta ausencia de sentido de la responsabilidad, explica la falta voluntaria de vínculo entre el teatro de Benavente y nuestra tradición literaria.

9. Sobre algunos personajes de Benavente —en *Los malhechores del bien*— dice Eguía:

«... Por esa manera cursi y convencional con que tratan las cosas santas y las virtudes cristianas los que han vivido entre fanáticos odiadores de lo que llaman «fanatismo», cogió su delicado pincel y... ejecutó, como un adocenado «brochista», una grotesca bombachada... Ni aquellas «*tartufas dulzonas,* armadas de femeniles alfileres», son damas de carne y hueso, católicas y apostólicas, sino espantajos de pega para ahuyentar estorninos; ni aquella Natividad y aquella Teresita, son *casos* comunes en los palomares de la Virgen, sino dos pajarotas, muy malas para enjauladas y muy conocidas de pajarracos...» (Pág. 303.)

10. Sobre el fondo y la forma en Benavente:

«Por lo demás, el mérito de la obra es indiscutiblemente inferior a otras del mismo autor. Los caracteres, sobre todo, se hubiera avergonzado de concebirlos y pintarlos tales un principiante. Pero... su ropaje culto, su maestría en letras *humanas,* su anarquismo funesto de guante blanco, hace esta pieza lo bastante halagadora y pérfida para que pueda llamarse su autor «el gran bienhechor del mal», porque, al modo de serpiente antigua, presenta a las evas y adanes del día, como *bueno* y apetitoso lo que es sencillamente asqueroso y *pésimo...*» (Págs. 304-305.)

11. Sobre la falta de formación intelectual:

«A lo menos se echa de ver en él, recorriendo su obra, un temperamento artístico muy condescendiente y muy humano, que, aunque no suele preconizar conclusiones filosóficas concretas, las tiene para todos los gustos. De su oculta intención educadora, de su filosofía esotérica, parten opuestas vías: «los caminos del ideal» de que nos habla Imperia al fin de *La noche del sábado,* por donde «caminan las almas, unas hacia el mal, para perderse en él, como espíritus de las tinieblas; otras hacia el bien, para vivir eternamente, como espíritus de luz y de amor» (Página 307.)

«De esos malos decires y peores sentires tiene la culpa el mismo don Jacinto, por su compleja y errática manera, imposible de encasillar en molde fijo, y por su doble o triple teleología...» (Pág. 308.)

12. Juicio sobre *La noche del sábado:*

«... en *La noche del sábado* asistimos, sin querer ni convenirnos, a un incoherente y complejo harén, heterogénea colonia de príncipes desterrados y de *snobs* aburridos, con su flora exótica de mujeres aventureras y su fauna peregrina de galanes degenerados y refinadamente perversos; todo un mundo de cieno y de canallería...» (Pág. 309.)

13. Incongruencias de la temática de Benavente:

«... ¿Por qué Benavente, poeta asombroso, fascinador, lleno de gracia y delicadeza, unas veces nos lleva *por las nubes,* «visionario de un ideal futuro», cimentado en la justicia y el amor santo, y otras veces nos hace rastrear por donde se arrastran *Las cigarras hormigas,* es decir, la realidad implacable de la vida que desbarata los sofismas de la imaginación, o bien desoladamente nos sepulta bajo *La losa de los sueños* mismos que alimentan los hombres?...» (Páginas 309-10.)

«... y, así aislada la vida, es un lago cenagoso de estrechas márgenes, es un logogrífico contradictorio e insoportable, sin solución a ningún enredo, pesadísima comedia en que actúan sólo, por fuerza, pesimistas y fluctuantes; sea que boguen a la margen derecha del deber, para hacer la vida menos borrascosa, sea que boguen a la siniestra del placer, para hacerla menos enojosa, según los principios éticos que de momento les informen.» (Pág. 310.)

14. El juicio **definitivo:**

«La dicha inmensa sería que, a un genio como éste, que ha sabido aún crear mundos inmensos y preciosos dentro de esa concepción imperfecta de la vida y del universo; al entrar ahora en el *Templo de los inmortales* y darse cuenta más exacta de su dignidad artística y humana; se le abriesen de una vez ante los ojos los infinitos horizontes de la fe: que diese a la vida la interpretación razonable y humana, al par que divina, que damos los católicos, y que preconizase en sus obras las verdaderas soluciones de los problemas que agitan el mundo de las almas...» (Página 310.)

18. ENTRAMBASAGUAS, Joaquín de: *Don Jacinto Benavente en el teatro de su tiempo.* «Cuadernos de Literatura Contemporánea», páginas 219-221. Madrid, 1944-1946.

19. «FLORIDOR»: «A B C» (19-II-1928). *El demonio fué antes ángel.*

Estas palabras son semejantes a las que, años más tarde, escribirá González Ruiz, y que veremos, sobre *Vidas cruzadas:*

«Nuestro gran dramaturgo Jacinto Benavente conduce a los personajes de su comedia por el disciplinado camino de la bondad y de la perfección. La obra, moral y educadora, ánimo contra toda flaqueza del espíritu, es de una serena belleza..., escrita con palabras de amor, siempre indulgente, piadosas y cordiales, para la mujer, objeto de las más tiernas delicadezas en el teatro de Benavente... Todo está dicho en la nueva comedia de cuya moral se desprende que «a veces por querer ser demasiado buenos, hacemos mal sin saberlo» —recordemos que el demonio fué antes ángel—, con original belleza de conceptos, con frases tan certeras, tan precisas que ahorran todo discurso. Sueños locos, afanes infinitos, desalentadora tristeza, alegría y abatimiento, sátira punzadora —espuela de ironía— y mieles de bondad, proclaman la virtud, más fuerte que la materia, por donde rastrea la Humanidad.»

20. «FLORIDOR»: «A B C» (23-XII-1926). *La mariposa que voló sobre el mar.*

«*La mariposa que voló sobre el mar* es, a nuestro juicio, una obra sin fronteras. Se escribió para todos, porque deleita y conmueve la tierna fábula de *La mariposa que voló sobre el mar*, que nos hace sentir la dulce voluptuosidad de lo bello, en patética y armónica escala, en una ponderada graduación de matices y sentimientos.»

¿«Voluptuosidad de lo bello»? Es decir: esteticismo psicológico: defensa de una postura ideológica fracasada en sus mismos principios.

21. «FLORIDOR»: «A B C» (15-III-1925). *Nadie sabe lo que quiere.*

Otro ejemplo de contradicción crítica: «Floridor» acepta la tesis, sin darse cuenta de que con ello admite una de las causas más eficaces de infelicidad y desasosiego espiritual: vivir de y en el mundo de la imaginación.

«Como de su mismo título se desprende, la nueva obra del ilustre comediógrafo apóyase en la manifiesta contradicción que hay siempre entre nuestros deseos y la realidad de la vida, en el fracaso de lo imaginado cuando no responde sinceramente a una ilusión.»

22. «Floridor»: «A B C» (3-I-1919). *Una señora.*

Ejemplo de crítica que no lo dice todo; por ejemplo: elude el problema de la pureza de los géneros:

«Bien se advierte en esta novela escénica, de la que hubiera sido interesante conocer ciertos antecedentes, escenas y episodios complementarios de la acción, el propósito de su ilustre autor de subordinarlo todo, con la elección de tres momentos en la historia de la protagonista, al nacimiento de la actriz, dejando en abocetados términos las restantes figuras.»

23. Gómez de Baquero, E.: *Cuento de amor,* arreglo de *Twelfth Night,* de Shakespeare, por don Jacinto Benavente. «La España Moderna: Crónica literaria», págs. 191-192, número 124. Madrid, abril 1899-902.

24. Gómez de Baquero, E.: *Gente conocida,* de don Jacinto Benavente. «La España Moderna: Crónica Literaria», págs. 156-159, número 94. Madrid, octubre 1896-904

1. Reparos que se le opusieron: literarios, morales y sociales. (Pág. 156.)

2. Cargos literarios: dijeron que no había continuidad en la acción, no pocos críticos. (Pág. 157.)

3. El cuarto acto no está terminado. El público notó esta diferencia respecto de los tres anteriores. (Pág. 158.)

4. Cargos morales: No hay ni una sola persona *decente,* ni una pasión *noble;* los caracteres son *abyectos,* todo es *cieno,* sombras, negruras... (Pág. 159.)

5. Gómez Baquero defiende la *inmoralidad* del teatro de Benavente, porque la juzga real y veraz. Pero también es real y veraz la moralidad. (Pág. 160.)

6. Cargos sociales: V. G. dijo que acentuaba la diferencia de clases. Gómez de Baquero se atiene a considerar la obra de teatro, independientemente de su influencia. (Páginas 160-1.)

25. GÓMEZ DE BAQUERO, E.: «La España Moderna», núm. 88. Madrid, abril 1896-902.

1. *Los moldes nuevos,* págs. 112-114.
2. *El enemigo del pueblo,* págs. 114-119.
3. *Ibsen,* págs. 119-120.
4. *La literatura escandinava,* pág. 120.

26. GÓMEZ DE BAQUERO, E.: *Teresa Mariani y el drama moderno en Italia: Causas conservadoras de los moldes dramáticos. ¿Es teatro moderno teatro de ideas?* «La España Mo-

derna», núm. 127. Madrid, julio 1899-903, páginas 120-131.

27. González Ruano, César: *Siluetas de escritores contemporáneos*. Editora Nacional. Madrid, 1949.

28. González Ruiz, Nicolás: *La literatura española*. Ed. Pegaso. Madrid, 1943.

1. González Ruiz no da aquí alguno de los ligeros criterios, lanzados con intenciones propagandísticas, en otros de sus trabajos, y admite el fondo «pesimista» de Benavente. (Pág. 20.)

2. De todos modos, las visiones de las obras benaventinas a las que se refiere, no dan más que un aspecto parcial del contenido.

3. Nuestro crítico afirma el contenido simbólico de *La noche del sábado* (pág. 23). Para que así fuera, es preciso que los personajes rechazaran lo contingente, el orden inmediato, que aceptan de modo definitivo.

4. *Nadie* puede estar de acuerdo con esta afirmación: «Un autor dramático no tiene por qué mostrar, a través de la producción, una ideología determinada». (Pág. 28.)

29. González Ruiz, Nicolás: *La cultura española en los últimos veinte años: El teatro*. «Co-

lección Hombres e Ideas». Instituto de Cultura Hispánica. Madrid, 1949.

1. Cuando habla de *Santa Rusia,* González Ruiz sólo indica la novedad de su tema dentro del teatro de Benavente (pág. 10). ¿Dónde está la conciencia despierta del crítico para señalar el peligro?

2. «... No es este aspecto combativo del escritor el que nos interesa aquí» (pág. 10), dice, contradiciendo la opinión unánime sobre Benavente, que le considera como un «chisgarabís» político e ideológico.

3. Afirma —es una vanalidad crítica— que el teatro de Benavente tiene «rasgos y matices típicamente españoles» (página 10). ¿Cuáles, dónde, por qué?

4. Asusta leer estas palabras de González Ruiz: «*Vidas cruzadas,* de grata tesis moral y no falta de fondo poético y humano, es una bella comedia.» (Pág. 11.)

30. GUARNER, Luis: *La poesía en el teatro de Benavente.* «Cuadernos de Literatura Contemporánea». Madrid, 1944-46, págs. 223-227.

31. «HERALDO DE MADRID, EL»: (17-III-1907). *La copa encantada.*

«*La copa encantada* tiene una tesis muy discutible.»

32. JESCHKE, Hans: *La generación de 1898 en España. (Ensayo de una determinación de*

su esencia.) Trad., introd. y notas de Y. Pino Saavedra. Ediciones de la Universidad de Chile. Santiago de Chile, 1946.

1. En este libro encontramos una opinión de Gómez de la Serna, sobre Benavente, que nos explica la existencia de los dos títulos *Santa Rusia* y *Aves y pájaros,* separados por ocho años tan solo:

«Benavente, aunque a veces vaya con ellos (Valle Inclán, Bueno), es un poco chisgarabís, y esto le aparta del grupo crédulo, menos fácil que él, más hondamente preocupado.» (Páginas 93-94. Cfr. Gómez de la Serna, *Azorín,* pág. 90.)

2. «Analiza más el mal que el bien en la sociedad de su tiempo.» (Pág. 110.)

Dice Jeschke de Benavente, al trazar «la estructura espiritual de la generación de 1898», que su primera característica es un «sentimiento pesimista de la vida y pensar escéptico», por influencia mal digerida de Schapenhauer y Nietzsche.

3. Aunque desde un punto de vista poético, son interesantes los juicios de Jeschke sobre algunas obras de Benavente, al hablar de «la creación espiritual de la generación de 1898»: bajo la impresión de la catástrofe nacional están escritos «los dramas *Gente conocida* y *La comida de las fieras...,* representaciones agudamente satíricas y al mismo tiempo realistas de la sociedad..., además los dramas *Alma triunfante* y *La noche del sábado...,* características como expresión de sentimientos pesimistas de la vida y gusto decadente de la época». (Pág. 118.)

4. Desde un punto de vista puramente estilístico, resulta triste y pobre el contenido de *Alma triunfante.*

«Las palabras que efectivamente se encuentran en cada página son: «dolor, suplicio, pena, muerte, tristeza, sacrificio, horrible, triste, etc.»» (Pág. 132.)

5. Igualmente habría que decir de *La noche del sábado.*

«En el prólogo (veinticinco líneas) de *La noche del sábado* reaparecen ya en la cuarta línea «dolor» y «muerte»; en la octava línea, tres veces expresiones para «tristeza», «Si un espíritu triste, de nuestro tiempo triste, ennoblece en ti tu tristeza»...; en la línea 20 se habla del vacío interno y de la frialdad de sentimiento de los personajes que se han reunido en la escena de la acción del drama: «Huyen del frío y traen el frío de su vida», y los versos de la *Divina comedia* del Dante (Inf. III, versos 1-3), que justamente no suenan optimistas, forman el final del prólogo.» (Página 132.)

Lo mismo cabría decir, por lo tanto, de *La ciudad doliente.*

6. Hablando del concepto decadente de la vida, leemos:

«Este se manifiesta..., en la elección de los temas y en la índole de los caracteres de sus dramas.» (Pág. 137.)

7. Jeschke observa, agudamente, que uno de los pocos colores que emplea Benavente, es el amarillo, que causa una innegable impresión de tristeza. Dice Donina: «Y estas (las rosas) amarillas como la cera, como los muertos.» *(La noche del sábado,* págs. 151-2.)

33. JULIÁ MARTÍNEZ, Eduardo: *Don Jacinto Benavente. Biografía.* «Cuadernos de Literatura

Contemporánea». Madrid, 1944-46, páginas 161-164.

34. JULIÁ MARTÍNEZ, Eduardo: *El teatro de Jacinto Benavente.* «Cuadernos de Literatura Contemporánea». Madrid, 1944-1946, páginas 165-217.

1. Tono exclusivamente laudatorio.

2. Nada advierte de la paradoja que supone que Benavente sustituya en el sillón académico a Marcelino Menéndez y Pelayo: son los dos polos opuestos de la vida intelectual española del siglo XX.

3. Las citas de Benavente con la que quiere argüir en favor de la genialidad de Benavente, más dicen de la falta de criterio dramático y de una sana y responsable conciencia profesional de un *genio* literario, tan dudoso, como el de Jacinto Benavente. (Pág. 165-6.)

4. Por otro lado, las citas de Benavente, por su falta de fuerza argumental, hacen pensar en la falta de seriedad crítica con que Juliá Martínez ha tratado la obra de Benavente.

5. Sólo así puede hacer la afirmación de que en la obra de Benavente hay un gran conocimiento del teatro tradicional español. Juliá afirma esto porque en alguna obra aislada encuentra citas de Lope, Calderón, sin más profundidad que como se citan en una tertulia de café. (Pág. 168.)

6. Nunca las alusiones superficiales a un autor, suponen

que se le haya asimilado. Y cuando sólo se hace así, como lo hace Benavente, más que asimilar el teatro tradicional, se tergiversa su sentido. Juliá, sin embargo, cree que hay filiación entre *La vida es sueño* y *La losa de los sueños,* porque en ambas se habla «del delito de haber nacido». Pregunto al señor Juliá Martínez: ¿Dónde se plantea este problema? (Página 169.)

7. La sistemática que adopta Juliá es buena sólo cuando no hay idoneidad crítica. (Pág. 169.)

8. La mayor sagacidad crítica de Juliá Martínez consiste en «atreverse a afirmar que abundan más los caracteres femeninos que los masculinos en el teatro de Benavente». No es necesario que el crítico sea tan atrevido, pues para una obra seriamente criticada importa poco que en su mayoría sean femeninos o no los personajes. En la entrevista que mantuve con Benavente me dió la razón: porque había mejores actrices que actores. Ya veremos qué importancia tuvo el teatro de Benavente, para la decadencia histriónica de nuestra escena.

9. Juliá desprecia en su crítica el contenido ideológico (pág. 193). Sin embargo, es la ideología, la que, de acuerdo o en desacuerdo con la tradición, da el criterio para que se acepte o se repruebe a un autor. (Pág. 208.)

10. Reconoce, en la misma página, que hay que «plantear problemas sobre los que no hemos hecho la menor indicación». (Pág. 208.)

11. Juliá adjudica una preocupación patriótica a Benavente, porque en algunos diálogos, y con la frecuencia propia de su habilidad retórica, hay alusiones circunstanciales propias de corrillos de barrio. Quisiera que Juliá recordara

el «patriotismo» de *Santa Rusia* y aquel —¡andanzas del tiempo!— *antipatriotismo* de *Aves y pájaros*. (Pág. 213.)

12. Dice el autor de este artículo que anotamos, que el estilo de Benavente propende a lo impersonal con la fórmula *uno, una*... Esta «fórmula» desplaza totalmente a *otro* y *otros;* más que personal es egocéntrica; y, efectivamente, lo es mucho más que *yo, nosotros*. (Pág. 215.)

35. KING ARJONA, Doris: *La voluntad and abulia in Contemporary Spanish Ideology*. «Revue Hispanique», tomo 74, núm. 166. París-Nueva York, 1928.

36. LASERNA, José de: *La comida de las fieras*. «El Imparcial» (8-XI-1898).

Lo que se pone en duda en Jacinto Benavente no es nunca la habilidad, sino su condición de dramaturgo, de comediógrafo:

«... En lo que tiene de sátira social tan vigorosa y acabada como endeble e insignificante en lo que tiene de comedia, si es que de comedia propiamente dicha llega a tener algo...»

37. LASERNA, José de: *El hombrecito*. «El Imparcial» (23-III-1903).

38. LASERNA, José de: *La gata de angora.* «El Imparcial» (1-IV-1900).

1. Resulta justo advertir que cuando no se pone en duda sus logros dramáticos, como hiciera el mismo Laserna al hablar de *La comida de las fieras,* se trata de poner en claro afinidades ideológicas de Benavente, que una asimilación superficial impide y hace imposible la originalidad:

«*La gata de angora* puede ser una buena novela psicológica «a lo Bourget» (última moda); tal como ha puesto la acción el señor Benavente, carece de interés por su fatigosidad.»

2. Laserna, que tantos elogios prodiga a Benavente, se ciñe, al elogiarle, a sus condiciones de ingenioso y ático escritor; condiciones que no afectan nunca la esencia primera de una obra literaria, desmereciéndola o mejorándola:

«Donde quiera que aparece el epigrama, durante el curso de la obra, se revela poderosamente el temperamento literario de Jacinto Benavente, y el público «se entrega», cautivado por la frase feliz, verdaderamente ática, intencionada y elegante.»

3. Y hasta la habilidad técnica sólo alcanza cumplimiento en el primer acto:

«Sólo en el primer acto, acogido con unánime aplauso, hay «teatro» y hay estilo en conjunción dichosa, y en él vibra asimismo la nota del sentimiento con delicada y penetrante fuerza.»

39. LASERNA, José de: *La noche del sábado.* «El Imparcial» (11-III-1903).

Tres juicios:

«La obra es simbólica y el símbolo pareció demasiado abstruso y enrevesado.»

«Como la «Gioconda» de D'Annunzio, Imperia ha sido la modelo de un escultor, y el artista le ha influído «su idea», «su espíritu», para que realice la Belleza y el Bien Supremo. ¿Cómo? Destruyendo la realidad.»

«Aparte el pensamiento fundamental, esta obra, calificada de «novela escénica», se resiente en la forma de inconsistente y heterogénea.»

40. MALLO, Jerónimo: *La producción teatral de Jacinto Benavente desde 1920.* «Hispania», febrero 1951, vol. XXXIV.

1. Distingue dos ciclos: 1) (1884-1919) el de las obras magníficas; y 2) (1920-1948) en el que los aciertos fueron minoría y sin ninguna producción digna de tenerse en cuenta.

2. Le ensalza como satírico.

3. «... Sus comedias estrenadas en 1948 —a los ochenta y dos años— tienen poco valor; que una parte de su colaboración periodística reciente es deplorable por las ideas y sentimientos que la inspiran y demuestra una espantosa decadencia senil...» (Pág. 22.)

4. «Benavente no raya a gran altura pulsando la cuerda

sentimental, ni reflejando las tempestades pasionales en sus dramas ni analizando las profundidades de la conciencia en sus exploraciones psicológicas. En estas rutas es simplemente, y no siempre, un buen autor, pero no un gran autor. Precisamente porque su temperamento espiritual de satírico no le permite volar hasta las cimas de la tragedia o del drama.» (Pág. 22-23.)

5. A propósito de *Santa Rusia:* «... don Jacinto, que no había vacilado antes en coquetear con todas las tendencias políticas —fué diputado, aunque sin tomar parte en los debates, del partido de Maura en un Congreso monárquico— creyó que después de sus devaneos con las derechas sería conveniente un idilio con las izquierdas. Así, probablemente, concibió *Santa Rusia.*» (Pág. 25.)

6. Durante la guerra del 36, «al hacerse peligrosa la vida en la capital... Benavente, ya septuagenario, se trasladó a Valencia, donde residía entonces el Gobierno republicano En la bella ciudad levantina se celebraban frecuentemente funciones teatrales a beneficio de los milicianos..., y cuando en ellas se representaban sus obras salía Benavente al escenario, como final de fiesta, envuelto en la bandera tricolor.» (Pág. 26.)

41. ONÍS, Federico: *Jacinto Benavente.* New-York, 1923. Instituto de las Españas.

1. «Hombre de fondo escéptico, falto de creencias y de fe», dice Onis de Benavente, justificando así la todavía próxima concesión del Nóbel.

42. OSETE ROBLES, Enrique: *Don Jacinto Benavente y sus anécdotas.* «Cuadernos de Lite-

ratura Contemporánea». Madrid, 1944-1946, págs. 233-235.

43. Palanco, Juan: *Señora ama.* «Heraldo» (23-II-1908).

«*Señora ama* es la vida, como ella es, como se dilata por el mundo, como se manifiesta en el tema».

«La tesis de *Señora ama* entre gentes elevadas perdería color. Los que viven en pueblos chicos tienen las almas más al natural, los refinamientos de la educación, de la cultura, son muchas veces elementos valiosos para el disimulo.»

Para que Benavente tuviera la intención de hacer lo que el crítico ha visto en *Señora ama,* hubiera sido necesario que nuestro autor —¿nuestro? ; *ex nobis prodiderunt sed non erant ex nobis,* dijo Marcelino Menéndez Pelayo en la primera página de los *Heterodoxos*— se mostrase capaz de asimilar con profunda honradez profesional el impresionismo europeo, en lo que tuvo de innovación positiva.

44. Pérez de Ayala, Ramón: *Las máscaras.* «Colección Austral», núm. 147. Buenos Aires, 1944.

El collar de estrellas, pág. 67.
Don Félix, pág. 74.
La ciudad alegre y confiada, pág. 77.
La princesa Bebé, pág. 85.
El mal que nos hacen, pág. 90.
Mefistófela, pág. 104.
La Inmaculada de los dolores, pág. 111.

La honra de los hombres, pág. 115.
Benavente y mis críticas, pág. 123.

Una observación previa a estas páginas periodísticas de Pérez de Ayala, sobre Benavente: imponen la necesidad de olvidar las significaciones políticas del crítico y del criticado, para valorar mejor los objetivos puntos de vista de Pérez de Ayala, que fué más clarividente del nefasto contenido del teatro de Benavente que los críticos católicos, excepción hecha de Constancio Eguía Ruiz, S. J. *(Literatura y literatos)*, como ya hemos visto, y otros.

Las críticas de Ramón Pérez de Ayala hacen pensar hasta qué punto puede influir beneficiosamente sirviéndose de estímulo, un ambiente de inquietudes políticas e intelectuales.

1. Refiriéndose a *Sobremesas* —ejemplos del contenido político-social de los escritos de Benavente—, dice:

«No recordamos de ninguna agudeza del señor Benavente que no sea alusión al sexo o menosprecio de la persona.» (Pág. 68.)

2. Muchas veces se ha querido establecer esta tetralogía del teatro contemporáneo: Ibsen-Pirandello-Shaw-Benavente. Respecto al parentesco de Benavente con Shaw —dice Pérez de Ayala, refiriéndose a un punto fundamental del arte dramático—, la espontaneidad de los sentimientos en los personajes, que Shaw lograra y no Benavente. Pérez de Ayala pone como ejemplo a Don Félix, personaje de *El collar de estrellas* (pág. 75). En las páginas de mi libro se niega también la espontaneidad de los sentimientos en los personajes benaventinos, desde otro punto de vista al de Pérez de Ayala.

3. Unas palabras referidas a una obra concreta, que hago mías, refiriéndolas a toda la obra de Benavente:

«*El collar de estrellas* es una obra farisaica, porque lo farisaico quiere decir fingida creencia en la letra con detrimento del espíritu; palabras que no obras; imposición de la ley muerta... lisonja de vientres perezosos. Su moralidad, por mejor decir su inmoralidad, es *esterilidad*.» (Pág. 77.)

4. Otro testimonio de Pérez de Ayala, al referirse a *La princesa Bebé*, que se comenta por sí mismo:

«Examinando en conjunto, como un panorama, la obra teatral completa de don Jacinto Benavente, echamos de ver en seguida que se trata de un paisaje cuya flora y fauna no corresponden a la zona tórrida, ni a la zona fría, sino a una zona epicena, de transición, en donde el clima se muda arbitrariamente del calor al frío y del frío al calor, sin alcanzar nunca grandes extremos.» (Pág. 85.)

5. Otra opinión sobre *La princesa Bebé*, que abre una puerta sobre el mundo moral del teatro de Benavente. Pérez de Ayala califica de *opereta* esa obra benaventina, y dice:

«En definitiva, el mundo de la opereta es el mundo de la incomprensión voluntaria. Es un camino descarriado hacia la felicidad. Ya con voz de la *Biblia* se nos advierte que el comprender acarrea dolor. El personaje de opereta huye la operación de comprender por ahorrarse la secuela del dolor. Evita las realidades profundas y se apoya en realidades superficiales y fugitivas. Cuando cosas y personas le van siendo familiares, las abandona para no comprenderlas. Su norma de conducta es el cambio, el contraste, la diversidad de decoraciones... Su tono favorito es la sátira personal y ligera, que es un modo de incomprensión... Su inquietud predominante y casi única se refiere a las relaciones sexuales..., despojando a la inquietud de su carácter de problema que se ha de resolver una vez por todas, para convertirlo en una sucesión de ensayos experimentales y de cópulas efímeras.» (Pág. 88.)

6. Para Pérez de Ayala, el defecto fundamental de Benavente es que la vida que hay en sus obras es una serie de «fragmentos de la cotidiana opereta, habiéndoles copiado fielmente; es menester trasponerlos, fundirlos e infundirles una nueva vida imaginaria.» (Págs. 88-9.)

Es decir, en el teatro de Benavente no participa la imaginación creadora sustancial en la verdadera obra de arte.

7 También señala que en *La princesa Bebé* no hay rebeldía deliberada; sin deliberación no hay libertad. (Pág. 89.)

8. Así resume nuestro crítico el argumento de *La princesa Bebé:* «inconsciente amor propio». (Pág. 90.)

9. Al hablar de *El mal que nos hacen*, Pérez de Ayala califica la obra de Benavente del siguiente modo:

«Al no mentar entre «los valores positivos» al señor Benavente, después de haber estudiado sus obras con toda prolijidad, claro está que no quiero dar a entender que no exista, sino algo peor, que existe como «un valor negativo». (Páginas 91-2.)

Nadie dudará que comparto plenamente esta opinión, que hoy tiene más vigor e importancia que cuando fué dicha por Ramón Pérez de Ayala.

Que hoy haya quien esté dispuesto a defender lo contrario prueba una sola cosa: que en la vida intelectual española ha enraizado, demasiado fuertemente, la mediocridad, por lo que no hay ningún interés por profundizar hasta las últimas causas, en cualquier cuestión. «Y así estamos donde estamos.»

10. «... deduzco sinceramente que el concepto dramático del señor Benavente es falso. Su dramática, en mi dictamen sincero aunque quizás equivocado, no procede inmediatamente de la vida ni se enlaza directamente con la vida: es intelectual, literaria, teatro de teatro. Pero en esta categoría de la dramática meramente literaria, creo que el señor Benavente, por su talento, agudeza y cultura, se halla a muchos codos de altitud sobre los autores congéneres y que sus obras no admiten parangón con las demás de especie idéntica.» (Pág. 102.)

11. Sobre la originalidad de Jacinto Benavente:

«La frecuencia de parecidos que se observa en la obra total del señor Benavente demuestra esterilidad de imaginación creadora. Aun sin estar al tanto de los originales en que el señor Benavente se inspiró o con los cuales coincidió por acaso, es bien cierto que las comedias de este autor no producen impresión de abundancia, de exuberancia, de fantasía. Se encarecerá la fecundidad literaria del señor Benavente, computando las muchas comedias que lleva escritas; pero, tomada cada comedia de por sí, el tema, asunto o maraña, es siempre minúsculo, precario, cuando no baladí. En este extremo presumo que todos están conformes. La aridez inventiva del señor Benavente no estorba a que se le admire; antes estimula la admiración. *Los intereses creados* son apreciados como la perla de la labor benaventina, y *Los intereses creados* no son sino una de tantas adaptaciones modernas de la secular *comedia* italiana. Y, en cuanto a estirar un asunto mínimo hasta que dé de sí tres, cuatro, cinco mortales actos, esto, hoy por hoy, se estima como suprema habilidad.» (Págs. 105-106.)

12. Originalidad e ideología de Benavente:

«Lo peor del teatro del señor Benavente no es la falta de inventiva, sino la falta de originalidad; no la aridez de imaginación, sí la aridez de sentimiento, y de aquí precisamente su sentimentalismo contrahecho y gárrulo. El señor Benavente (me refiero al señor Benavente autor) es todo mente, intelecto, razón discursiva; es ingenioso, es agudo, es certero en la sátira negativa, la sátira que se ensaña en los defectos del prójimo con fruición, sólo por gozarse en ellos, a diferencia de la sátira moral, que, teniendo siempre presente una norma de perfección, fustiga dolorosamente los defectos por corregirlos. El señor Benavente ha querido fabricar con la cabeza un corazón; pero el corazón que ha puesto en sus obras es frío y vano, por demasiado raciocinante, cuando es sabido que el corazón ha sido puesto en el pecho con el fin providencial de elevar hasta la inteligencia un vaho cálido y nebuloso con que la luz en extremo viva de la razón se empañe, se mitigue y no nos ciegue. Dicen que las obras del señor Benavente encierran su filosofía. Bueno: llamémosla así. Esta filosofía, harto simplista, se reduce, en opinión de los hermeneutas entusiastas del señor Benavente (pues yo no tengo autoridad para tanto), al amor por todas las cosas; filosofía a primera vista, un tanto incongruente e incompatible con un temperamento cuya aptitud más notoria y cultivada es la malignidad satírica. Y es que el sentimiento que encierra el teatro del señor Benavente no es tanto el verdadero amor, la difusión cordial, cuanto una vaga apetencia del amor, el *volebat amare,* que dijo San Agustín: quería amar. Y en tal sentido sí que tiene algo de filosofía, por lo menos en la intención, el amor intelectual que resplandece con luz aterida en el teatro del señor Benavente. Al hombre, al más completo y cabal, le falta siempre algo; es como la tierra en que vivimos, que jamás el sol la alumbra en su totalidad y a un tiempo, sino que hay en todo momento un hemisferio de claridad y otro de sombra. El hombre piensa que lo más hermoso en la vida sería aquello que le falta, su hemisferio de sombra, por donde, a veces, el ansia de conocimiento (que esto es la vocación filosófica), le lleva a edificar con la inteligencia el hemisferio ausente y oscuro, enalteciéndolo, como obra suya que es, sobre el otro hemisferio, el más próximo y real, en donde reina la claridad nativa. Nietzsche, hombre flojo y desalentado, predica la filosofía de la fuerza y de la voluntad. En el punto inicial de todo sistema personal de filosofía se observa el mismo fenómeno.» (Páginas 106-107.)

13. El concepto de felicidad en Benavente:

«... El secreto de la felicidad consiste en deformar la propia mente hasta admitir lo absurdo y caprichoso como razonable y fatal, y deformar el propio corazón hasta simular sin esfuerzo amores y dolores que no se sienten. Preciosa moraleja, a propósito para individuos inútiles y naciones agonizantes.» (Pág. 114.)

14. Filiaciones e influencias en Benavente, a propósito de *La honra de los hombres:*

«Dejando de lado otros antecedentes de poco fuste, se ha señalado el parecido de *La honra de los hombres* con otras dos comedias célebres: *A woman of no importance* (Una mujer cualquiera), de Wilde, y *Et Dukkehjem* (Casa de muñecas), de Ibsen. Por lo que atañe a la similitud entre la obra de Wilde y la de Benavente, se parece como un huevo a una castaña; no existe entre ellas asomo de parecido. Respecto a *Casa de muñecas,* ya es harina de otro costal. La obra de Benavente es, a trozos, una imitación de Ibsen; pero una imitación desdichadísima y desprovista de todo discernimiento. Por lo pronto, el personaje espectral, a que hemos aludido más arriba es un calco de otro personaje de Ibsen. En la obra española se llama Cristián; en la noruega, el doctor Rank. Cristián está enfermo sin esperanza de curación, ama platónicamente a la muchacha, que se hace pasar por madre, adivina y comprende su sacrificio y guarda el secreto. (¿Por qué no lo ha de guardar si no va a ser su marido ni nadie le moteja de manso?) El doctor Rank está reblandecido y se va a morir en seguida, ama platónicamente a Nora y la comprende mejor que su marido. Sólo que Cristián es un personaje inútil, decorativo y episódico, que interviene únicamente a fin de rellenar escenas, mientras las cosas interesantes se supone que acaecen entre bastidores; si se le suprimiese, no por eso cambiaría en un ápice la comedia ni su pretendido significado artístico y moral. En tanto el doctor Rank es, en la comedia de Ibsen, el personaje más significativo, y no se exige ser muy lince para desentrañar lo que significa. El doctor Rank está pagando culpas ajenas; es un enfermo a causa de los desórdenes de su padre. Ahora bien, como en *Casa de muñecas* se solventa un conflicto de personalidad entre Nora y su marido Torvaldo, al cual pone fin Nora abandonando el hogar conyugal, esposo e hijos, a fin de vivir su propia vida, claramente se advierte que esta arrebatada resolución es errónea, como lo demuestra el ejemplo del doctor Rank, víctima de los errores paternos; por donde el espectador, por su cuenta, y sin que el dramaturgo le formule con pedantería una ley general y absoluta, infiere de los personajes conocidos y de los hechos observados, que las personas casadas, si atienden más al cultivo de la propia personalidad y a la satisfacción del propio apetito que al cuidado y responsabilidad de la prole, acaso hagan pagar sus propios excesos a los hijos. O sea, que en los disturbios matrimoniales hay un factor que ha de tenerse muy presente: la responsabilidad de la descendencia. Y por si no estuviera bastante claro, Ibsen escribió *Espectros* a continuación de *Casa de muñecas*, en la que una especie de doctor Rank es la protagonista.

«La última escena de *La honra de los hombres* es imitación de la última escena de *Casa de muñecas*. Pero ¡qué imitación, Dios santo!» (Págs. 120-1.)

15. Dice del argumento de esta obra que es «sencillamente estúpido y absurdo.» (Pág. 122.)

16. Al estudiar con cierto detenimiento la época más fecunda del teatro de Benavente, se observa que la mayoría de los actores de primera fila son mujeres; además, se saca esta observación: después de Guerrero, Pino, Membrives, Borrás, etc., se interrumpe la escuela histriónica española. Pérez de Ayala nos da la razón.

«Aun suponiendo que el teatro del señor Benavente se hubiera extendido a todos los países y lenguas, ¿se concibe de alguno de los grandes actores modernos, de universal nombradía, seleccionando tales o cuales obras del señor Benavente para fijarlas de repertorio, y en ellas, como en el patrón más ancho, verterse, colmándolas, con que así demostrase como actor lo caudaloso de su personalidad? ¿Se concibe a Sara o a la Duse, o a Zaconi, Novelli, Guitry *senior*, «luciéndose» y patentizando su capacidad de actores en la representación de las obras benaventianas? ¿Qué obras elegirían? *¿Los intereses creados, Lo cursi, No fumadores, El tren de los maridos?* Sería algo así como un gimnasta que para ostentar su fuerza levantase vejigas hinchadas de aire. Los actores españoles, más o menos distinguidos, de estos últimos tiempos (los Mendoza-Guerrero, Calvo, Tallaví, Morano, la Membrives, la Xirgu, Borrás, Muñoz), o han excluído de todo punto en su repertorio las piezas del señor Benavente, o representan de tarde en tarde uno o dos, cuando más, y eso, en parte por haberlas estrenado, en parte, como oblación al fetiche de la fama.

»Y es que en las obras del señor Benavente no hay situaciones dramáticas; pero, sobre todo, no hay personas dramáticas, no hay caracteres.» (Págs. 124-5.)

17. Algunas veces se ha dicho que el teatro de Benavente tiene algo de simbolismo, y se pone como ejemplo *La noche del sábado*. Una vez más hago mías las palabras de R. Pérez de Ayala:

«... También en *La noche del sábado* hay un personaje muy pomposo que se llama Imperia. Aseguran los hermeneutas que este personaje está lleno de significación; significación que nunca he visto dilucidada, y yo confieso que tampoco he podido desentrañarla. De ser el autor de la obra, para mayor sugestión de misterio trascendente, yo hubiera puesto al lado de aquel personaje otro masculino que se llamase Repúblico.» (Pág. 126.)

45. PINTO ALVAREZ, María Luisa: *Mujeres benaventinas*, «Boletín de la Universidad Nacional de La Plata», núm. 6, 1934.

46. SAINT AUBIN: *Sacrificios*. «Heraldo» (16-II-1902).

En torno a las obras que más nombre han dado a Benavente no falta nunca quien advierta la ponzoña que contienen:

«... obra profundamente desconsoladora, y demostración evidente de que con frecuencia es inútil el sacrificio y estéril la generosidad, como semilla arrojada en la infecunda arena.»

47. SÁNCHEZ CAMARGO: *El hombre y la obra en el día del homenaje a don Jacinto Benavente.* «Cuadernos de Literatura Contemporánea». Madrid, 1944-1946, págs. 229-231.

48. STARKIE, Walter: *Jacinto Benavente.* Oxford University Press, 1924.

1. En la primera página Walter Starkie nos expone su punto de vista: Benavente va a continuar la tradición española, tratando el tema humano:

«España ha ensalzado siempre al hombre de carne y hueso como tema de su arte y su literatura, recordemos a grandes rasgos la corrección del Terencio hecha por Unamuno» (página 9), y al citar a Unamuno, sitúa a Benavente en su época.

2. Pero en los textos que cita, más bien se aprecia la rotura, la incomprensión de la tradición, que el enraizamiento en ésta:

«Cuando volvemos nuestros ojos hacia el pasado —dice *Azorín*— todo él se nos aparece como un rápido y violento remolino de gentes que accionan, que gritan y que vuelven a ocupar rápidamente el lugar del que salieron, cayendo después agotadas, débiles e inertes.» (Pág. 11.)

3. En el fondo de este punto de vista hay una falta de objetividad para juzgar lo que Benavente supone en la generación del 98. Si es rebelde como ella, su rebeldía tiene una influencia mayor porque entrega los valores personalistas totalmente subvertidos. (Pág. 11.)

4. En lo que se refiere a la tradición y el 98, Starkie por defender a éstos desfigura aquélla, ignorando el realismo de los cantares de gesta, romances, ya que opina con *Azorín* que es Galdós quien descubre el realismo:

«Galdós aparece —dice *Azorín*—, aparece silenciosamente, con sus ojillos penetrantes, su fría y escrupulosa mirada; aparece mirándolo todo, examinándolo todo —ciudades, calles, tiendas, cafés, teatros, campos...; por primera vez la realidad va a existir para los españoles.» (Pág. 12-13.)

5. De acuerdo con Mr. Starkie, cuando dice de la obra de Benavente,

«que será... el espejo de la sociedad de su época». (Página 19.)

Pero se me ocurre pensar que un estado social determinado, si provoca una obra de arte, impone una obligación al escritor que le trata: procurar que el orden destruído se restaure; que los valores propios de esa sociedad que están anquilosados, cobren toda la lozanía y vigor que les corresponde; en fin, que la obra sea un cuerpo sano y no un germen insano para la misma sociedad sobre la que versa.

6. Sobre todo, porque no son las mismas acciones humanas, ni son las mismas costumbres del siglo, las que incitan la sátira de Benavente, que aquellas de las que tra-

tan las obras de Lope de Vega: porque ideas espúreas rompieron la continuidad de la tradición. Por eso es falso el valor tradicional que Starkie quiere ver en Benavente, cuando dice:

«Seguirá sin salirse de ella la opinión del gran Lope de Vega. El drama ha de representar las acciones humanas y pintar las costumbres de su siglo.» (Pág. 19.)

7. Al mismo tiempo que Mr. Starkie se empeña en afirmar la continuidad del teatro de Benavente con la tradición española, le adjudica —quizás muy gratuitamente— el título de innovador, de revolucionario (pág. 20). La revolución de Benavente, si alguna hizo, fué auténtica, de las que destruyen los últimos baluartes de un orden intelectual. Como modernista o como hombre del 98, se le con sidere de un modo o de otro, Benavente es adminículo terminal de un proceso de descomposición.

8. Mr. Starkie cita unas palabras de Benavente, tan antitradicionales al dar su concepto de la vida, que hacen pensar en otras cosas muy distintas a las que Starkie piensa de Benavente. Estas son las palabras que cita del Premio Nóbel:

«Galdós tiene que tener músculos de acero, mientras que los míos están formados por cuerdas de violín. Galdós trata de volver a la sociedad española a la moralidad genuina y siente sobre él el fervor del apóstol, el alma de un redentor y el cerebro de un sabio. Creo que el proyecto de Galdós es fantástico, porque yo no he venido al mundo para ser un apóstol o un dogmatizador ni estoy dispuesto a dar como verdades cosas que sé que no lo son. La vida tiene que tomarse como un juego porque no es más que una arlequinada, una exhibición de muñecos de guignol.» (Pág. 35.)

9. No se pueden saber las razones por las que Mr. Starkie ve idealismo en *Los intereses creados*. (Pág. 36.)

10. Mr. Starkie recoge la opinión de Benavente sobre la preocupación de Shakespeare por lo efímero de la vida. Y en esa opinión se ve toda la superficialidad intelectual de nuestro autor, más preocupado por el «buen ver» del arte que por la permanencia de las ideas que le animen:

«Para ser hermoso en cualquier escenario, con cualquier luz y a cualquier hora, el arte tiene que tener una forma que no se pase nunca. La popularidad dramática decae tan deprisa como la belleza de las actrices; es, quizá, por esta razón por la que el autor dramático Shakespeare está siempre preocupado con pensamientos acerca del fácil paso de las cosas.» (Pág. 39.)

11. Y sólo por superficial desconocimiento de lo que sea Arte, un dramaturgo puede escribir sus obras en una semejanza técnica con la cinematografía. He aquí otro aspecto que el juicio ponderado de Mr. Walter Starkie no tiene en cuenta para juzgarlo en toda su importancia:

«Las obras no se parecen en nada a los antiguos dramas de intriga, sino que se aproximan al arte de la cinematografía siéndoles posible poner ante nuestros ojos una serie de coloreadas escenas fotográficas.» (Pág. 58.)

Recuérdese que Benavente llamó a *Gente conocida* «Escenas de la vida moderna», y «Cinedrama» a *Vidas cruzadas*.

49. TORRENTE BALLESTER, Gonzalo: *Literatura Española Contemporáneae (1898-1936)*. Afrodisio Aguado. Madrid, 1949.

1. La originalidad crítica de Torrente Ballester, nacida de una honda preparación, ve en Benavente una «difusa influencia» de Wilde. (Pág. 67.)

2. Torrente Ballester habla del *modernismo* de *La noche del sábado*; no opino lo mismo.

3. «Benavente se inclina al *sprit* francés y a la paradoja británica: su dominio de los recursos intelectuales fracasa, en cambio, cuando su propósito expresivo incide en lo sentimental.» (Pág. 153.)

4. Respecto a los otros escritores contemporáneos que cultivaron otros géneros, Torrente Ballester reconoce una igualdad en Benavente, «pese a la inferior calidad estética de su teatro.» (Pág. 154.)

5. Establece, muy oportunamente, la diferencia entre Muñoz Seca y Benavente:

«El teatro de Muñoz Seca es muy superior al de Benavente (en cuanto a la sinceridad crítica); no se enmascara tras un ideario de origen libresco, ni tras formas pretenciosas de literatura.» (Pág. 188.)

6. «... hallamos en Benavente un claro afán de singularidad..., más semejante a Bernard Shaw que a Wilde...; con menos resonancia internacional, Benavente acuña una figura característica...» (Pág. 217.)

7. «Se suele decir que Benavente cuenta a Shakespeare entre sus más inmediatos antecesores; es de las afirmaciones más incomprensibles que jamás se han hecho, sin otra base real, probablemente, que el gusto y la opinión del dramaturgo español por el inglés y su vanidad en admitir como verdadero tan ilustre antepasado.» (Pág. 218-9.)

50. UNAMUNO, Miguel de: *Soliloquios y conversaciones.* «Colección Austral», núm. 286. Buenos Aires, 1944, pág. 114.

Benavente no es tan conocido como Hauptman o Sudermann, por razones de prestigio político de Alemania.

51. VILLEGAS, F. Francisco: *Impresiones literarias: Estudios de Patología literaria contemporánea.* «La España Moderna», núm. LXIV. Madrid, abril 1894-902, págs. 160-167.

La recensión del libro de Gener hace pensar en un ambiente en torno que se formó a Max Nordau; su obra *Degeneración* será publicada traducida al español, en 1902 (Madrid, Librería de Fernando Fe).

Pompeyo Gener señala como enfermedades literarias de su tiempo el *gramaticalismo*, el *retoricismo*, el *criticonismo* (específicamente españoles), el *newanismo*, el *decadentismo*, el *pesimismo germánico*, el *nihilismo ruso*, el *noticierismo* (específicamente universales). (Pág. 160.)

El mismo Villegas afirma los puntos de contacto entre Max Nordau y Gener. (Pág. 160.)

Villegas se inclina por la terapéutica como remedio más eficaz que la filípica (págs. 161 y sigs.), utilizada por Pompeyo Gener.

52. VOSSLER, Karl: *Formas literarias en los pueblos románicos.* «Col. Austral», núm. 455. Espasa-Calpe. Buenos Aires, 1944.

Benavente, fin de siglo

Leyendo uno de los ensayos reunidos bajo este título general, encontré el párrafo citado a continuación, del que saco estas consecuencias: para Vossler, el teatro genuinamente español termina en la época de oro, en cambio, en Europa sigue un proceso genuinamente determinado hasta Ibsen; por lo tanto, aquel teatro, que, como el de Benavente, sigue modelos extranjeros, no es español. Dice Vossler: «No queremos, sin embargo, convertir en canon a Shakespeare, ya que cabrá preguntarse si no es posible que, al lado de sus formas de humanidad, puedan llegar a prevalecer. En un país meridional el estilo de vida es muy distinto al de un país nórdico, y el carácter de un país católico es muy diferente al de un país protestante: si el norte de Europa puede presentar, al lado de Shakespeare, a un Goethe, un Schiller, un Kleist, un Hebbel y un Ibsen, los países románicos, ofrecen el drama pastoral, el melodrama y la ópera italiana, el teatro clásico y el drama social francés y el drama nacional de Lope de Vega y Calderón como creaciones de su especial mentalidad... En todos los pueblos románicos tiene el temperamento más importancia que el carácter, y la Naturaleza que la conciencia, en lo que respecta a conseguir un efecto dramático absoluto, pues es siempre el Dios de la primitiva Iglesia el que reprime el carácter de los hombres (imposible contar con el teatro de Benavente) y calma la conciencia. El Dios del catolicismo reina por encima del destino humano, en un más allá, y a pesar de todas las galas renacentistas el teatro de los pueblos románicos no llega a olvidar su existencia (Europa sí la olvida, mucho antes que lo olvide Benavente). En la forma que sea presente o ausente, la idea de Dios vive en él» (p. 23).

53. VOSSLER, Karl: *Jacinto Benavente.* «Corona», I, 1, págs. 108-120.

1. «Nada queda de aquellos asuntos de capa y espada, del encanto de los romances y glorias nacionales..., nada de la época de Lope de Vega y Tirso de Molina. Nada... de Calderón de la Barca. Ningún nexo, ningún seguro recuerdo del drama nacional de antaño. La obra de Benavente se desenvuelve por completo, en medio de las costumbres y formas de un ilustrado, nórdico y esencialmente analítico arte teatral». Consecuencia: ruptura con la tradición.

2. Vossler recoge más palabras de Benavente sobre el teatro tradicional, al que llama «arte conservador», «pornografía espiritual», «galanteos, voluptuosidad y retraso espiritual». Sin comentarios, que nos llevarían muy lejos, ya que para Benavente la ideología tradicional española es la causa de nuestra decadencia.

3. «El valor de la existencia, o como Benavente gusta llamarlo, lo verdadero, se manifiesta en la vuelta (lo que hemos llamado nosotros «camino de regreso»), cuando el corazón de los hombres se abre. Todo lo demás es preludio o epílogo, tan abigarrado, tan extravagante, tan apasionante, triste, bochornoso y ambiguo como se quiera. Deja en sus obras que la vida exterior se queme, que se convierta en humo y se deshaga, para que se revele el verdadero fuego y claridad de la vida interna.»

4. «...es quizá, ante todo, la filosofía alemana de lo inconsciente, lo que ha causado más fuerte impresión en Benavente. Schopenhauer, Eduard von Hartmann, Max Nordau y Sigmund Freud.»

I N D I C E

Págs.

Págs.

Págs.

Este libro se acabó de imprimir en Madrid, en los talleres de Estades, Artes Gráficas, calle de Evaristo San Miguel, 8, el día 15 de julio de 1952, víspera de la fiesta de Nuestra Señora del Carmen.

LAUS DEO